W9-AEK-899

CHATEAUX DE FRANCE

Veüe et perspective du Jardin, de l'Etang et de la Cour des fontaines

CHATEAUX DE FRANCE

MATHIEU MÉRAS

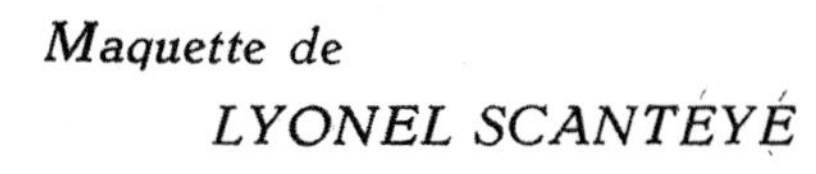

Maquette de
LYONEL SCANTÉYÉ

FERNAND NATHAN

LA NAISSANCE DES CHATEAUX

MUROL. Au centre, le château, entouré par une seconde enceinte où les villageois pouvaient se réfugier.

A la mort de Charlemagne, la faiblesse de ses successeurs et les troubles qui suivirent le partage de son vaste Empire favorisèrent de cruelles invasions.

La Francie occidentale, le royaume de Charles le Chauve, créée en 843, allait être attaquée sur tous les fronts. Les pirates normands, sur leurs longs drakars, remontaient les fleuves et dévastèrent toutes les côtes de l'Ouest et du Nord, les Sarrasins s'abattirent comme des sauterelles sur la côte méridionale, tandis que l'Est était ravagé par les cavaliers hongrois.

Razzias, pillages, meurtres se succédaient sans trêve. Les abbayes, les villes n'offraient plus qu'un refuge peu sûr. Les campagnes étaient encore beaucoup plus exposées. Cette période d'insécurité, terrible pour les paysans, dura plus d'un siècle.

Les villes ne pouvaient pas accueillir ces populations menacées ; elles étaient trop exiguës, les plus grandes ne dépassant pas dix mille habitants. Jusqu'alors, comme à l'époque gallo-romaine, les grands propriétaires, les hauts fonctionnaires carolingiens, comtes et ducs séjournaient dans des villas qui étaient de grandes exploitations agricoles plutôt que des forteresses. L'incessante guerilla les obligea à construire de nombreuses habitations fortifiées.

Le château primitif est fort modeste. Il est situé à l'entrée d'une vallée dont il empêche l'accès, il domine le cours d'une rivière ou le croisement d'une route. En général, il est construit sur une hauteur naturelle ou sur un monticule de terre rapportée.

Le château est une puissante masse carrée ou rectangulaire, en fortes charpentes ; il a plusieurs étages. Dans l'épaisseur de la motte sur laquelle il se dresse sont creusés des caves, des silos. Il se reflète dans l'eau du fossé qui ceinture le monticule. C'est l'ancêtre du donjon (1). Une seconde enceinte enferme la

(1) On commença à appeler tout d'abord ainsi la motte de terre où s'élevait le donjon.

première ; elle est formée d'une palissade de planches épaisses, solidement liées, et protégée par un fossé plus large et plus profond que celui qui entoure le donjon. Des tours, également de bois, complètent ce système de défense. Une passerelle, munie de barres transversales, pour permettre aux chevaux de monter, conduit à la porte unique qui donne accès au donjon.

Le château peut être rapidement édifié car le bois n'est pas rare ; la France compte alors beaucoup plus de forêts que de nos jours, la main-d'œuvre est facile à trouver, grâce à la corvée. Un seul inconvénient, il est de taille : le château risque de prendre feu. Pour s'en préserver, le châtelain imagine alors de placer sur les plates-formes des peaux de bêtes fraîchement écorchées.

Tous les châteaux de cette époque ne sont pas aussi compliqués, certains ne possèdent que le donjon.

Château SAINT-ANDRE, VILLENEUVE-LES-AVIGNON. Les tours rondes, surmontées de mâchicoulis, défendent la porte. Comme on est dans le Midi, les tours n'ont pas de toits en poivrières.

Coffre du XIIe siècle. Elément essentiel du mobilier jusqu'à la Renaissance. On y mettait les vêtements, les objets précieux. Il est renforcé par d'élégantes ferronneries. ▶

Bientôt toute la France se hérissa de châteaux.

Entrons à la suite d'Arnoul, seigneur d'Ardres en Artois, dans son château, qui est considéré en 1099 comme une merveille. C'est un charpentier, Louis de Bourbourg, qui l'a construit. Le château est une tour énorme, à trois étages ; au rez-de-chaussée on remarque les celliers, c'est là qu'on remise les futailles, les jarres ; au premier, le logis et la salle commune ; une pièce est affectée à la paneterie, l'autre à l'échansonnerie ; c'est à cet étage également que le châtelain et la châtelaine ont leur chambre à coucher ; dans deux pièces attenantes se tiennent les chambrières (1) et les serviteurs. Dans un angle de la grande chambre, un cabinet pourvu d'une cheminée, à la fois cabinet de toilette et chauffoir-infirmerie ;

(1) Femmes de chambre.

les seigneurs s'y tiennent les jours où l'on pratique la saignée ; les servantes ont coutume de s'y chauffer et on y tient les nourrissons au chaud.

Pour des raisons de sécurité, la cuisine reliée à cet étage est dans un bâtiment distinct. Au rez-de-chaussée de la cuisine se trouvent la porcherie, le poulailler, les locaux où l'on engraisse oies et chapons.

Retournons à l'étage supérieur du donjon. C'est là que couchent les fils du seigneur dans une chambre « lorsqu'il leur plaisait », dit le chroniqueur. Les filles d'Arnoul, moins libéralement élevées, sont « tenues » de coucher dans une autre chambre. A cet étage dorment tour à tour les guetteurs et les gardes-veilleurs.

Le seigneur d'Ardres et sa femme tiennent leur cour dans une « loge » qui mène à la chapelle, richement décorée de sculptures et de peintures.

Ce logis est au centre d'une enceinte où l'on trouve un moulin et les écuries pour les nombreux chevaux

Prise d'une ville. XIVe siècle. Au premier plan, la perrière lance d'énormes pierres dans la ville. Un peu plus loin, les assiégeants, dans la tour roulante de bois, s'élancent sur les remparts, grâce à un pont léger.

seigneuriaux ; on y trouve même une ménagerie, car le roi d'Angleterre a donné à Arnoul un ours. Cet ours, d'ailleurs, est une source de revenus pour l'astucieux seigneur qui lève des impôts sur les combats de chiens qu'il fait soutenir à son ours.

Ces châteaux de bois étaient rapidement bâtis, mais détruits presque aussi facilement. De petits châtelains pillards pouvaient ainsi en construire aux moindres frais. L'Ile-de-France était infestée de ces forteresses, véritables repaires de brigands. Louis VI le Gros, policier énergique, passa sa vie à les raser. Il entreprit, en 1111, de détruire le château du Puiset. C'était un donjon de bois, élevé sur une motte. Le roi fait lancer contre les portes du château des chariots remplis de matières enflammées. C'étaient à la fois des béliers et des brûlots. Malgré cela les portes tiennent bon. En désespoir de cause, il s'attaqua à la palissade. Un prêtre courageux s'élance ; pour parer les coups il a pour bouclier une simple planche. Le rusé clerc

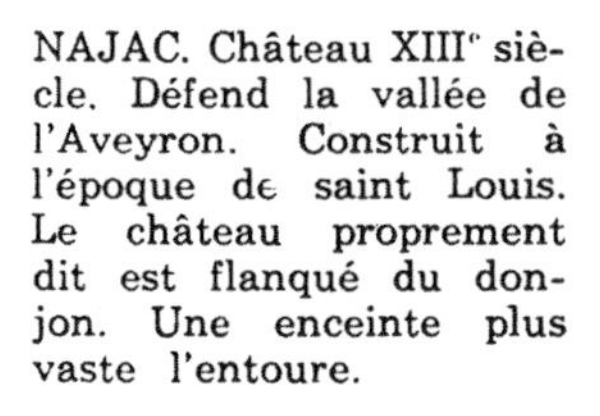

NAJAC. Château XIIIe siècle. Défend la vallée de l'Aveyron. Construit à l'époque de saint Louis. Le château proprement dit est flanqué du donjon. Une enceinte plus vaste l'entoure.

s'aperçoit qu'il y a un angle mort existant sous les archères (1) par lesquelles les défenseurs tiraient sur les troupes royales ; il se plaque au sol, rampe et commence à attaquer la paroi par la base ; ses camarades de combat, encouragés, l'imitent. La première enceinte s'écroule avec un bruit de tonnerre, fracassée à coups de hache. Le château pris, le seigneur du Puiset se réfugia dans le donjon de bois, mais fut contraint de capituler. Louis VI incendia le château dont seuls les terrassements subsistèrent.

Peu à peu, à cause de ces défauts, les seigneurs les plus riches, les possesseurs de grands fiefs préférèrent la pierre au bois pour la construction de leurs châteaux.

Sous le règne de Hugues Capet et de Robert le Pieux régnait sur l'Anjou le comte Foulque Nerra. Prince redouté, riche et puissant, il fit brûler de nombreux monastères avec leurs moines. En expiation de ses crimes, il ordonna qu'on le traîne, demi-nu, à Jérusalem, la corde au cou, flagellé par deux valets qui criaient : « Seigneur, ayez pitié du traître ! » Foulque Nerra ne reculait devant aucun crime. Ne chuchotait-on pas que, pour punir sa femme qui l'avait trahi, le comte d'Anjou l'avait fait brûler vive dans le château d'Angers ? Du château les flammes avaient gagné la ville que l'incendie avait dévorée entièrement.

Le terrible seigneur était en guerre perpétuelle contre tous ses voisins, et surtout le comte de Blois, Eudes. Il construisit de nombreux châteaux de pierre ; le plus beau, le plus puissant était le donjon de Langeais, qui subsiste encore. C'est une large tour rectangulaire, bâtie en pierres et en tuiles. Foulque Nerra habitait à l'étage supérieur, qui était percé d'assez nombreuses fenêtres en plein cintre (2).

---

(1) Ouvertures destinées au lancer des flèches.

(2) On appelle ainsi les fenêtres dont la partie supérieure dessine un demi-cercle. A l'époque romane, la plupart des voûtes et des arcs sont ainsi.

L'ÉVOLUTION DU CHATEAU FÉODAL

CHINON. Des Plantagenets aux rois de France, chaque siècle, du XIIe au XVe, a laissé sa marque. On notera l'étendue de l'enceinte.

Peu à peu les moyens d'attaque, encore primitifs, contre les châteaux de bois, — on l'a vu pour le Puiset, — s'améliorent pour venir à bout des donjons de pierre.

Ce sera l'œuvre des Croisades qui obligeront les chevaliers à des sièges plus savants. Contre Jérusalem, en 1099, les Croisés construisent des tours roulantes.

Ces tours, que connaissait déjà l'Antiquité, ont quatre ou cinq étages ; elles permettent de dominer les remparts ; parfois, au dernier étage, un pont-levis forme passerelle et permet d'atteindre le haut des courtines (1) du château assiégé.

(1) Mur fortifié entre deux tours.

LA ROCHE-GUYON. Ici c'est la masse énorme du donjon qui s'impose; il paraît à l'étroit dans son enceinte. La falaise abrupte constitue aussi un moyen de défense naturelle.

Diverses machines peuvent bombarder le château. La plus simple était le bélier, énorme madrier à tête de fer, monté sur un affût de charpente ; quand l'affût était roulant on l'appelait « une chatte ».

Plus compliquées étaient les machines à ressort : la perrière, qui pouvait abattre de puissants remparts ; le mangonneau, perrière plus puissante, l'arme lourde.

On connaissait aussi les projectiles incendiaires. Les Byzantins apprirent aux Occidentaux l'usage du « feu grégeois » (1). C'était tout simplement du pétrole enflammé. Des « pochonnets », petits pots de terre cuite, étaient remplis de chaux-vive qui, en se brisant, aveuglaient l'adversaire ; on connaissait même l'usage des gaz asphyxiants : des bouteilles, en se brisant, libéraient leur contenu empoisonné.

Il paraissait impossible de résister à des armes aussi perfectionnées. Au génie de l'attaque répliqua pourtant celui de la défense.

Les tours prirent des formes plus compliquées. Jusqu'alors elles étaient circulaires ou carrées ; désormais on eut des tours en demi-ellipse, comme à La Roche-Guyon, ou pourvues d'un éperon à pan coupé.

Les archères se multiplient pour lancer des flèches. Souvent en forme de croix, depuis le XIIIe siècle, elles permettent de lancer des traits en plus grand nombre, dans tous les sens. Des hourds, galeries de bois en encorbellement, garnissent le haut des tours et empêchent ainsi les travaux de sape effectués à leur pied. Pour les conserver en bon état, on les enduit d'huile ou de graisse. Comme ces hourds prenaient feu facilement, il était nécessaire de les revêtir de peaux humides, et, plus tard, d'ardoises.

En Palestine le bois était rare, aussi les hourds furent-ils rapidement remplacés par des galeries de pierre, les machicoulis. Cette invention pratique fut

(1) Grégeois = grec en ancien français.

adoptée en France à partir du XIIIe siècle, mais les hourds restèrent cependant en usage jusqu'à la fin du Moyen âge. Quand ces machicoulis sont discontinus, on les appelle alors des bretèches.

De petites hottes mobiles, en bois, les huchettes, permettent, quand elles s'ouvrent, de faire pleuvoir des carreaux sur les assaillants.

★

Depuis que Guillaume le Conquérant avait conquis l'Angleterre, ses successeurs, les Plantagenêts, faisaient une guerre presque constante aux rois capétiens.

Héritier de Foulque Nerra et de Guillaume le Conquérant, Henri II Plantagenêt était roi d'Angleterre. C'était un haut et redouté prince qu'Henri, duc d'Aquitaine par sa femme, la belle et volage Alienor, qui avait abandonné pour lui son premier mari, l'ennuyeux roi de France, Louis VII ; comte d'Anjou, du chef de son père Geoffroy le Bel, et roi d'Angleterre, du chef de sa mère l'impératrice Mathilde, il a lutté avec succès contre son rival, le faible Louis VII. Mais au roi capétien, chargé d'ans, a succédé son fils, le jeune et bouillant Philippe Auguste, qui fait à l'Anglais une roide et forte guerre.

Le roi Henri II n'est plus le jeune et brillant chevalier d'autrefois ; son fils préféré, Richard, s'est allié avec Philippe pour lutter contre son père qu'il hait plus que tout.

Accablé par la maladie, pourchassé par son fils et le roi de France, Henri II se réfugie dans son château de Chinon, qui se reflète dans les eaux calmes de la Vienne. Il passa toute la journée appuyé sur l'épaule de son bâtard Geoffroi, pendant qu'un de ses chevaliers tenait les pieds du roi sur ses genoux. Le malade paraissait dormir ; Geoffroi chassait les mouches qui tourmentaient le malade. Brusquement Henri ouvre les yeux, il regarde son fils et le bénit : « Mon fils, mon très cher fils, toi au moins tu m'as toujours témoigné la fidélité et la reconnaissance que les fils doivent à leur père. Si Dieu me fait la grâce de me guérir de cette maladie, je ferai de toi le plus grand et le plus puissant parmi les grands. Mais si je meurs sans te récompenser, je prie Dieu de te donner ce que tu mérites ». Geoffroi éclata en sanglots : « Mon père, tout ce que je demande dans mes prières, c'est que vous reveniez à la santé ».

Le lendemain le roi d'Angleterre commanda qu'on portât son lit dans la chapelle du château, devant l'autel. Cette chapelle lui rappelait de terribles souvenirs.

CHATEAU DE LOUBRESSAC. Son échauguette semble encore surveiller la plaine.

En effet, elle était consacrée à saint Thomas Becket, l'archevêque de Cantorbéry, son ancien ami, qu'il avait fait assassiner parce que le prélat défendait les privilèges des clercs contre la couronne. Henri évoqua-t-il son ami d'enfance, le spirituel et beau chancelier d'Angleterre, avant de se confesser et de communier ? Nul ne le saura jamais. Songea-t-il au meurtre de Thomas qu'il avait ordonné « quand le sang lui figea dans les veines et quand la mort lui creva le cœur », comme le conte un témoin de sa mort, Guillaume le Maréchal, un de ses féaux ?

A peine le roi était-il mort qu'aussitôt on vit un spectacle étonnant : les valets pillèrent la chambre royale et le roi d'Angleterre resta comme il était au jour de sa naissance, sauf ses braies (1) et sa chemise.

★

La mort d'Henri II allait relâcher l'alliance entre Philippe Auguste et Richard Cœur de Lion, devenu roi d'Angleterre.

Pour barrer l'entrée du duché aux Français, Richard Cœur de Lion, à son retour de Terre Sainte, fit construire le Château-Gaillard. A plus de cent mètres au-dessus de la Seine le château s'élève, massif et puissant. Les tours n'étaient plus séparées par des courtines, elles formaient une suite continue. Les fossés du château, énormes, étaient taillés dans le roc ; ses murs avaient cinq mètres d'épaisseur, son donjon vingt mètres de circonférence.

Philippe Auguste et Richard Cœur de Lion, après s'être croisés ensemble et avoir été compagnons d'armes en Palestine, étaient devenus rapidement ennemis mortels en Terre Sainte. Depuis leur retour dans leurs royaumes, la guerre était sauvage de part et d'autre. Richard Cœur de Lion noyait ou aveuglait ses prisonniers ; le roi de France n'était pas moins cruel.

(1) Culottes.

Château-Gaillard. (Photo Walter) ▶

La principale place forte de Philippe Auguste était le château de Gisors, qu'il avait conquis jadis sur les Plantagenêts. Les Anglais voulurent reprendre la place avec des forces supérieures. Richard voit l'ost (1) français, et plein de mépris appelle ses hommes qui accoururent. Avant même qu'ils fussent réunis, le roi d'Angleterre commande la charge et court sur l'ennemi « comme un lion affamé sur sa proie ». Bien qu'on fût en septembre, la chaleur était torride et l'éclat des cottes de mailles et des heaumes était terni par la poussière. Les Français se hâtent de fuir, Philippe Auguste

(1) Armée.

CHATEAU-GAILLARD. XIIe siècle. Verrou de la Normandie que Philippe Auguste fit sauter.

GISORS. VIIe siècle. L'enceinte est trés simple, sans tours, flanquée de contreforts, comme le donjon. Le château est élevé sur une motte de terre rapportée.

tombe dans un gué. Un clerc, charitablement, le relève. Le roi, plus mort que vif, se réfugia dans Gisors, qui était un fort et beau château, mais, malgré l'épaisseur de ses murailles, il ne voulut pas s'y fier et quitta Gisors, car, comme le dit ironiquement un ami de Richard Cœur de Lion, le preux Guillaume le Maréchal, « quand le renard se laisse terrer, il n'est pas sûr de pouvoir s'échapper ». Pour l'impertinent chroniqueur, le renard c'est le roi de France, débusqué de son repaire par le lion, son maître.

Richard annonça lui-même sa victoire aux Anglais par un communiqué : « Le roi de France a bu dans la rivière et vingt de ses chevaliers s'y sont noyés. Notre lance a renversé Mathieu de Montmorency, Alain de Rouci et Foulque de Guillerval, que nous avons pris avec près de cent autres chevaliers. Le nombre des prisonniers est immense. On a capturé deux cents chevaux de bataille dont cent quarante bardés de fer ».

Le renard n'allait pas tarder à prendre sa revanche. Le 26 mars 1199, Richard assiégeait le château de Châlus en Limousin, bien loin de son duché de Normandie, quand un trait d'arbalète lui transperça l'épaule gauche. Le château fut pris et tous les assiégés pendus, hormis celui qui avait blessé le roi ; sans doute le réservait-on pour un supplice plus cruel.

— Quel mal t'avais-je fait ? lui demanda le roi mourant. Pourquoi m'as-tu tué ?

— Vous aviez bien tué, vous, de votre propre main, mon père et mes deux frères, je tiens ma vengeance, répondit l'arbalétrier. Je souffrirai tous les tourments qu'inventera votre cruauté, pourvu que vous mourriez, vous qui avez fait au monde de si grands maux !

— Libérez-le et donnez-lui de l'argent, ordonna le roi agonisant à ses capitaines qui l'entouraient et qui attendaient en silence.

L'ordre d'un roi mort est rarement exécuté. A peine Richard eut-il rendu le dernier soupir, que son capitaine des Routiers (1), Mercadier, fit écorcher le meurtrier et accrocher son cadavre à une potence.

Ainsi mourut le roi bâtisseur du Château-Gaillard. Le troubadour, Gaucelm Faidit, pleura sa mort en un chant qui fit le tour du monde chrétien : « Le roi Richard est mort, et mille ans se sont passés sans qu'il mourût un homme dont la perte fut aussi grande. Jamais il n'a eu son pareil ! Jamais personne ne fut aussi loyal, aussi preux, aussi hardi, aussi généreux. Je ne crois pas que Charlemagne, ni Arthur, le valussent. Pour dire la vérité, il se fit par tout le monde redouter des uns et chérir des autres ».

---

(1) Les routiers étaient des mercenaires payés par le roi, à la différence des seigneurs qui devaient le service militaire à raison de leur fief.

Son frère, qui lui succéda, Jean sans Terre, n'avait aucune de ses brillantes qualités. Il était lâche et cruel. Le fils de son frère aîné, Arthur, duc de Bretagne, un adolescent, aurait pu prétendre à la couronne. Jean, après s'être emparé du prétendant, le tua, dit-on, de sa propre main, dans la Tour de Rouen.

Philippe Auguste mit à profit l'indignation causée par ce meurtre odieux pour envahir la Normandie. Mais pour conquérir le duché, il fallait s'emparer du Château-Gaillard. Le roi en personne mit le siège devant le château.

Avant de l'atteindre directement il était nécessaire de s'emparer de positions placées au pied du Château-Gaillard : le Fort de Boutavant, situé dans l'île qui divise la Seine et le village du Petit-Andelys, qui était aussi fortifié. Grâce à un pont de bateaux, défendu par de hautes tours, le roi et son armée débarquent enfin sur la rive droite de la Seine que domine la forteresse.

Le camp royal fut installé sur une colline, reliée au château par une étroite langue de terre. Plusieurs lignes de tranchées furent creusées, de nombreux petits châteaux de bois s'élevèrent entre lesquels veillaient, jour et nuit, les sentinelles.

Les assiégés étouffaient dans ce cercle terrible. Ils avaient pour chef Roger de Lascy et quelques preux chevaliers. L'hiver vint, les habitants du Petit-Andelys, troupe lamentable, s'étaient réfugiés dans les murs du château. Malgré les cris de douleur des femmes, les gémissements des enfants, l'inexorable Lascy dut les expulser ; ils étaient plus de cinq cents.

Les archers du roi aussitôt firent pleuvoir une nuée de flèches sur les malheureux qui refluèrent vers le château dans une affreuse panique. Malgré leurs cris de désespoir, les portes du château demeurèrent fermées. On vit alors des scènes affreuses. Une femme avait mis un enfant au monde ; les hommes s'en saisi-

CHATEAU-GAILLARD. Les falaises de craie blanche sur lesquelles se dresse le château de Richard Cœur de Lion.

rent et s'en nourrirent. Le chroniqueur prétend même qu'une poule qui volait eut l'imprudence de tomber parmi ces affamés, elle fut aussitôt saisie et dévorée, avec ses plumes, ses œufs et un œuf tout chaud qu'elle portait en son corps ! A la poule ainsi engloutie succédèrent les chiens errants.

Le cœur du roi s'attendrit enfin à la vue de tant d'horreur ; il permit à ces infortunés de franchir ses lignes.

Les assiégés cependant avaient encore des vivres pour de nombreux mois. Il fallait en finir. Philippe Auguste décida l'attaque en février 1204.

Une chaussée aplanit le sol jusqu'à la tour d'angle du château ; dans un grondement de tonnerre, on y pousse les tours roulantes, les catapultes, les balistes. L'énorme fossé, creusé dans le roc, profond de huit mètres, large de dix, est rapidement comblé. Aussitôt les mineurs passent à l'attaque, ils creusent les fondations de la tour ; à mesure qu'ils avancent dans leur travail de sape, ils placent des étais. Quand la sape est suffisamment profonde, ils se retirent en brûlant les étais. La tour s'écroule dans un immense nuage de poussière et de flammes. Les Français ont conquis la première enceinte.

Mais la seconde enceinte, hérissée de fortes tours, entourée de profonds fossés, les défie encore.

Que faire ? La situation est critique. Un rusé soldat, nommé Bogis, constate que le château est muni de latrines. Par ce chemin étroit et malodorant, Bogis, leste et souple comme une anguille, se glisse dans la seconde enceinte et l'ouvre à ses compagnons.

Les assiégés, pour arrêter les assaillants, mettent le feu au bâtiment, mais l'incendie qu'ils ont eux-mêmes allumé les contraint à se réfugier dans la troisième enceinte, dominée par le donjon. Les catapultes et les perrières l'attaquent aussitôt et font une brèche énorme par où s'élancent les Français. Roger de Lascy n'avait plus que cent quatre-vingt-trois soldats ; il se réfugie aussitôt dans le donjon où il finit par se rendre. Le 6 mars l'oriflamme de France flottait sur le Château-Gaillard conquis.

« Maître Renard a triomphé du Noble Lion », put penser en souriant Philippe Auguste, s'il avait encore souvenance des paroles de Guillaume, le maréchal d'Angleterre.

En deux mois la Normandie allait être conquise et le roi de France n'eut que la peine de recevoir les clefs des villes que les bourgeois tremblants lui apportaient dans des bassins d'argent.

La prise de CHATEAU-GAILLARD, telle qu'on l'imaginait sous Charles VII. Le miniaturiste, un peu fantaisiste, a essayé, néanmoins de rendre le site escarpé du château. A ses pieds, les tentes de Philippe Auguste.

LES CHATEAUX A L'ÉPOQUE DE SAINT LOUIS

Enguerrand de COUCY. Costume de chevalier. Cotte de mailles et heaume.

«Prince ne daigne, roi ne puis, je suis le Sire de Coucy ! » Telle était la fière devise qu'on prêta aux sires de Coucy, en songeant sans doute à Enguerrand III le Grand. Jadis, son ancêtre, Thomas de Marle, redouté seigneur, avait bravé Louis le Gros et protégé les vilains de Laon révoltés contre leur évêque. L'ambitieux Enguerrand le Grand, profitant des embarras de la minorité de Saint Louis, s'était ligué avec le roi d'Angleterre, Henri III, le comte de Bretagne, Pierre Mauclerc, en apparence pour lutter contre le comte de Champagne, en fait pour arracher la régence à Blanche de Castille. Certains contèrent même, tant le sire de Coucy était enivré de sa puissance, que les conjurés voulaient lui offrir la couronne de France.

Peut-être cette légende fut-elle accréditée par le château colossal qu'Enguerrand fit construire sur la colline qui sépare l'Oise de l'Aisne. Ces « belles tours et ces fortes murailles » furent construites de 1225 à 1230. Le donjon contrôlait l'entrée du château ; c'était une « grosse et magnifique tour », ronde, percée uniquement d'archères ; au sommet les hourds de bois étaient supportés par des consoles de pierre. Une chemise, muraille de pierre semi-circulaire, entourait le donjon, complètement indépendant du château. Ce dernier formait un trapèze irrégulier, défendu par quatre tours à peine moins puissantes que le donjon, dont la circonférence dépassait trente mètres et dont les murailles avaient plus de dix mètres d'épaisseur. On pénétrait dans le donjon par le rez-de-chaussée, à l'aide d'un pont volant ; des escaliers, des chemins de ronde serpentaient dans ce colosse de pierre. Des celliers permettaient d'emmagasiner des vivres pour y soutenir un siège en règle si l'ennemi s'était emparé du reste du château.

Les appartements seigneuriaux étaient installés dans les épaisses courtines qui reliaient les tours de l'enceinte.

Enguerrand III, soucieux du salut de son âme, comme tous les barons du Moyen Age, avait fait construire aussi une chapelle, blottie à l'ombre du puissant donjon.

Dans la cour on remarquait un perron, supporté par trois lions de pierre accroupis ; celui du centre se croisait nonchalamment les pattes, lion fainéant ; ses camarades, plus actifs, à chaque extrémité dévoraient, l'un un homme, l'autre un chien. Sur le perron, un lion était accroupi. C'est devant ces emblèmes de la force royale que les vassaux d'Enguerrand prêtaient l'hommage féodal.

Le château était entouré de grandes forêts qui déferlaient jusqu'à ses murailles. Elles invitaient à la chasse, le plaisir seigneurial par excellence. Le fils d'Enguerrand, le grand Enguerrand IV, aimait ce sport cruel plus que toute chose ; nul, sans sa permission, ne pouvait chasser sur ses terres. Or, il advint qu'en l'an du Seigneur 1256, de jeunes nobles flamands étudiaient à l'abbaye de Laon. Ignorant sans doute l'interdiction du sire de Coucy, ils voulurent, pour se divertir, chasser sur les terres du redouté seigneur. Enguerrand IV les fit saisir et juger sur le terrible perron des lions. Malgré leurs plaintes, leur jeunesse, les chasseurs étourdis furent, sur l'ordre du sire de Coucy, pendus aux plus hautes branches de la forêt, où longtemps les paysans virent se balancer les formes blanches des trois jeunes gens.

Les parents des suppliciés portèrent plainte au souverain justicier, au roi de France lui-même, à Saint Louis. Le roi, indigné, fit emprisonner Enguerrand IV dans la grande tour du Louvre. On disait que le roi voulait faire subir au féroce seigneur la peine du talion, en expiation du meurtre des trois jeunes nobles.

De nombreux barons intervinrent auprès du roi. On était au printemps ; dans son jardin du palais de la cité, le roi se promenait, vêtu d'une cotte de camelot (1), d'un surcot (2) de tiretaine, sans manches, un manteau cendal noir était noué autour de son col ; il portait un chapeau à plumes de paon blanc sur le chef. Il devisait avec le sénéchal de Champagne quand un courtisan malveillant vint lui rapporter les paroles de Jean de Tourote, chevalier connu pour sa morgue : « Le roi n'a plus qu'à nous pendre tous, s'il fait pendre Enguerrand ! »

Aussitôt le roi ordonne à ses sergents qu'on aille quérir l'impertinent Tourote.

Peu de temps après le chevalier paraît devant le roi.

— Comment dites-vous, Jean ? lui dit le roi avec une ferme douceur.

---

(1) Etoffe de laine.
(2) Vêtement de dessus.

C'est dans ces bois qui entourent COUCY que chassèrent les jeunes gens qu'Enguerrand fit pendre.

COUCY. XIIIe siècle. Enorme donjon percé de rares fenêtres. Au sommet, des corbeaux, ou consoles, soutenaient les hourds de bois.

La guerre de 1914-1918 n'a laissé de COUCY que des ruines.

Jean de Tourote, fort embarrassé, garde le silence. Le roi, souriant, fait pour lui la réponse.

— Que je fasse pendre mes barons ? Certainement je ne les ferai pas pendre, mais je les châtierai s'ils méfont. Le sire Enguerrand devra fonder deux chapelles où des chapelains prieront sans cesse pour l'âme des trois enfants qu'il a vilainement occis ; je le condamne à donner dix mille livres tournois à l'œuvre de l'Hôtel-Dieu de Pontoise ainsi qu'à celui des couvents de Saint-Dominique et de Saint-François que l'on construit à Paris. Pour expier complètement ses crimes, il devra, en outre, aller en Terre Sainte. Dieu veuille lui donner alors la paix ! Croyez, Jean, que je n'épargnerai quiconque, fût-il mon frère, contre droite justice.

Ainsi fut-il fait (1) et le grand orgueil des sires de Coucy fut rabaissé.

---

(1) En partie, car l'évêque d'Evreux dispensa le sire de Coucy du voyage en Terre Sainte.

Paris était lors entouré de grandes forêts royales. La plus proche était celle de Vincennes où Saint Louis faisait construire un spacieux manoir. Le roi s'y rendait maintes fois en été, nous conte Joinville, « il s'accoudait à un chêne et nous faisait asseoir autour de lui. »

Point n'était besoin d'huissier, le tout venant venait vers le roi qui leur demandait : « Y a-t-il quelqu'un qui ait procès ? » Et tous ceux qui avaient des procès se levaient et alors le roi disait : « Taisez-vous tous et on vous rendra justice, l'un après l'autre ». Mais, contrairement à la légende, Saint Louis ne jugeait pas lui-même. Il appelait un savant magistrat, Pierre de Fontaine, et un haut fonctionnaire, le bailli de Tours, Geoffroi de Villette. « Jugez-moi ce procès », leur disait-il. Le roi les laissait expédier les procès, mais quand il trouvait quelque chose à reprendre dans leurs sentences, il la reprenait lui-même, le roi étant le souverain justicier.

★

A l'époque de Philippe Auguste, les chevaliers du Nord avaient, sous la conduite de Simon de Montfort, envahi les terres du comte de Toulouse, Raymond VI, qui protégeait les Cathares. Les Cathares étaient des hérétiques qui proclamaient que la vie était mauvaise car elle a été créée par un Dieu mauvais lui-même, Jéhovah le Dieu des Juifs et des Chrétiens. Le pape Innocent III prêcha la Croisade contre eux et contre le comte de Toulouse qui les protégeait.

Après les revers éprouvés par Simon de Montfort et son fils, le père de Saint Louis, Louis VIII, et ensuite Blanche de Castille, sa femme, régente pendant la minorité de Saint Louis, obligèrent Raymond VII, le successeur de Raymond VI, à se soumettre. Le Midi dut accepter l'Inquisition, organisme créé par le pape pour découvrir et châtier les hérétiques.

Château de MONTSEGUR. Couronne un pain de sucre rocheux. Dans la plaine, le village.

Beaucoup de Méridionaux supportaient mal l'Inquisition. Il advint qu'en l'an de grâce 1242, en mai, Guillaume Arnaud, l'inquisiteur zélé de Toulouse, partit avec ses compagnons visiter le Lauragais. Ils arrivèrent la veille de l'Ascension à Avignonet où le châtelain de Raymond VII, Raymond d'Alfaro, les hébergea avec beaucoup de respect.

A cette époque le comte de Toulouse était en guerre avec le roi de France. Raymond d'Alfaro, qui haïssait l'Inquisition, prévint le châtelain voisin de Montségur, Pierre Roger de Mirepoix.

— Messire, nous tenons un gibier de choix, les chiens noirs de l'Inquisition (1) sont à notre merci ! Ils sont à présent dans mon château d'Avignonet.

— L'occasion est bonne, messire d'Alfaro, vengeons nos frères les Parfaits (2) que ces chiens ont fait griller.

---

(1) C'est ainsi qu'on nommait parfois les Inquisiteurs, qui étaient Dominicains, par un jeu de mot latin : « Domini canes » : les chiens du Seigneur.

(2) Les Parfaits étaient les prêtres cathares qui menaient une vie ascétique. Ils administraient le « consolamentum », sacrement donné en général aux fidèles cathares à l'heure de la mort et qui les lavait de tout péché.

Château de MONTSEGUR. Les courtines qui relient l'enceinte au donjon. A gauche, on voit l'escalier qui permet d'accéder au chemin de ronde.

Ivres de vengeance, Pierre Roger de Mirepoix et de nombreux chevaliers cathares, réfugiés dans le nid d'aigle de Montségur, chevauchent dans la vallée vers Avignonet.

Ils attendent la nuit. Les inquisiteurs reposaient dans leurs chambres, inconscients de la mort qui allait les frapper. Un écuyer avertit Pierre Roger : « Ils dorment, vous pouvez aller ! » Les portes des chambres sont enfoncées, les inquisiteurs sont aussitôt égorgés.

Pierre Roger et ses chevaliers s'en retournèrent triomphalement à Montségur, acclamés par le peuple qui leur offrit à boire.

Raymond VII poursuivit mollement les coupables, mais le roi de France décida de les traquer jusqu'à Montségur. Le sang des inquisiteurs devait être vengé.

Le représentant du roi en Languedoc, Hugue d'Arcis, sénéchal de Carcassonne, reçut l'ordre d'assiéger Montségur.

Le château est situé sur un piton si élevé qu'on le distingue à plus de quinze kilomètres à la ronde, en venant de Foix ou de Lavelanet. On ne peut y parvenir que par un chemin long et raide. Hormis cet accès malaisé, le château s'élève sur un cône immense, à pic, de roche blanche et nue. Dans l'enceinte formidable, aux murs épais, plus de mille personnes peuvent se réfugier.

La garnison est nombreuse et résolue. Aux côtés de Pierre Roger, de nombreux « faidits » (1) peuplent Montségur où abondent déjà les Parfaits et les Parfaites.

L'armée royale, commandée par le sénéchal, comptait dans ses rangs Pierre Amiel, archevêque de Narbonne, et Durand, évêque d'Albi. C'était une croisade en miniature.

On ne pouvait songer à prendre le château d'assaut. Les assiégeants, avec force labeur, établirent les

(1) On appelait ainsi les proscrits cathares.

CHATEAU DES TEMPLIERS à Arginy. Amusantes tours à poivrières.

machines sur la pente qui monte au château. Hugue d'Arcis fit construire ensuite une «chatte» (1) énorme. Jour après jour, suant et ahanant, les assiégeants la faisaient avancer au prix d'efforts surhumains. Entre la muraille et la chatte s'étendait le champ de bataille.

Le blocus fut forcé à plusieurs reprises. C'est ainsi qu'un chevalier, Escaut de Belcaire, convint avec Pierre Roger de Mirepoix qu'un feu serait allumé sur le Pech de Biaorte quand les nouvelles du comte de Toulouse seraient meilleures.

Secrètement Raymond VII aidait les assiégés ; il leur envoya son expert en machines, Raymond de la Bachellerie, chargé de construire des perrières destinées à détruire la chatte.

Cependant les assiégés faiblissaient. Pierre Roger obtint de sortir avec son ingénieur et son médecin. Ce seigneur avisé n'oublia pas non plus l'or et l'argent de la forteresse qu'il eut tout loisir d'emporter. Réconcilié plus tard avec l'Eglise et le roi, ayant tiré élégamment son épingle du jeu, il devint châtelain de Montgaillard dans les Corbières.

Le château était aux abois. Les paysans de Montségur étaient tout dévoués aux Cathares, mais ce siège, ces exactions qui duraient depuis plus d'un an avaient fini par les exaspérer. Ces bonnes gens en avaient assez des gens d'armes des deux partis. L'un deux fut-il sensible aux beaux sermons de l'archevêque de Narbonne, ou bien préféra-t-il ses arguments sonores et trébuchants ? On ne sait. Toujours est-il que dans la nuit du 1er au 2 mars 1244 certains paysans conduisirent les Croisés par un sentier à chèvres jusqu'au pied de la muraille. Vertigineuse ascension. Les assiégés n'avaient pas songé à garder cette partie des courtines qui semblait inexpugnable. Le soleil levant éclaira le massacre des Cathares par les Croisés.

---

(1) Tour roulante.

La situation était désespérée. Les chefs de Montségur, l'évêque cathare Bertrand Marty et Raymond de Pereille le comprirent. Dans la nuit, quatre Cathares furent descendus, à l'aide de cordes, du château dans la plaine. On leur avait confié le trésor des Cathares.

Dès que sur le Pech de Biaorte un feu s'alluma dans la nuit, annonçant qu'ils étaient en lieu sûr, les assiégés acceptèrent la reddition. La garnison aurait la vie sauve, les chevaliers seraient remis aux inquisiteurs. Quant aux Parfaits, ils seraient traités suivant la tradition de la Croisade : l'abjuration ou la mort.

Galvanisés par Bertrand Marty et la belle et pure Esclarmonde, fille de Raymond de Pereille, les Parfaits furent conduits au supplice. Ni les menaces, ni les sermons ne vinrent à bout de leur résistance. Ils furent tous brûlés au pied de la pente, dans un lieu qui depuis porta toujours le nom de Champ des Crémats (1).

Toute une auréole de légendes se forma autour du siège de Montségur. On conta que les quatre Parfaits emportaient le Saint-Graal de Perceval, la coupe d'émeraude où Joseph d'Arimathie avait recueilli le sang du Christ.

Un siècle s'était écoulé depuis la prise du Château-Gaillard ; depuis que la Normandie était conquise, la forteresse était devenue une prison royale.

A la fin du règne de Philippe le Bel, les bourgeois parisiens furent mis en émoi. Un horrible scandale venait d'éclater : le roi étant dans la magnifique abbaye de Maubuisson, où il résidait souvent comme son aïeul Saint Louis, donna l'ordre d'arrêter ses trois belles-filles, Marguerite, fille du duc de Bourgogne et femme de son fils aîné Louis le Hutin, Jeanne, fille du

(1) Champ des brûlés.

CHATEAU-GAILLARD. Donne une idée de la puissance du donjon. Richard Cœur de Lion s'était inspiré des châteaux de Palestine.

CHATEAU DE DOURDAN. Vestiges des courtines flanquées de tours.

comte palatin de Bourgogne (1), femme de Philippe le Long, et Blanche, la sœur de Jeanne, une toute jeune fille de seize ans, qui avait épousé Charles le Bel quatre ans auparavant.

Marguerite et Blanche furent enfermées au Château-Gaillard, et Jeanne au château de Dourdan.

On chuchotait à Paris que les princesses avaient trahi la foi conjugale avec deux jeunes chevaliers de l'hôtel royal (2), Philippe et Gautier d'Aunay, tous deux beaux comme le jour, alors que les princes royaux, tout princes des fleurs de lis qu'ils fussent, étaient, hormis Charles, plutôt malingres et maussades.

(1) Il s'agit de l'actuelle Franche-Comté, distincte du duché de Bourgogne.

(2) On appelait l'hôtel au Moyen âge l'ensemble des personnes attachées au service du roi ou d'un prince.

CHATEAU DE DOURDAN, au centre de la gravure. Marqué d'un B, le donjon.

Interrogés, Philippe et Gautier nièrent tout d'abord ; la torture leur fit avouer un crime imaginaire ou réel. Ils furent décapités après de cruels supplices. Philippe le Bel ne plaisantait pas sur le respect dû à la majesté royale. Les complices, des nobles et manants des deux sexes, furent eux aussi mis à la question, noyés ou secrètement occis. Un frère prêcheur, qui avait aidé les coupables par des philtres, réussit à se tirer d'affaire. « Peut-être en savait-il trop long », susurrèrent les mauvais esprits de la capitale.

Qui avait dénoncé les coupables ? On conta à Paris que c'était l'« Anglaise », la méchante reine Isabelle, fille de Philippe le Bel et belle-sœur des princesses. Elle avait donné deux bourses très belles, l'une à la femme du Hutin, l'autre à la femme de Charles le Bel de la Marche ; quelque temps après, elle vit ces bourses brillantes d'or et de perles à la ceinture de vermeil ciselé des deux jeunes damoiseaux, tout fiers d'un don aussi flatteur. La reine d'Angleterre garda le silence, mais elle manda la chose au roi qui, dolent et courroucé, fit saisir les coupables.

Enfermée dans les murs épais du Château-Gaillard, Marguerite de Bourgogne, affolée, confessa son crime, dit-on, et avoua qu'elle méritait tous les supplices pour avoir jeté le discrédit sur l'« honneur des dames nobles en général ». Le Château-Gaillard était glacial, il ne tarda guère à devenir mortel pour Marguerite.

Blanche, malgré sa jeunesse, résista, protesta de son innocence. Sept ans se passèrent, Philippe le Bel et ses deux fils aînés étaient morts, Charles le Bel, le mari de Blanche, était monté à son tour sur le trône. Il voulait se remarier, mais il n'invoqua pas le scandale de 1314 pour annuler son mariage : il prétendit que Blanche était sa parente à un degré prohibé.

On interrogea Blanche dans la chapelle du château, en présence de ses demoiselles. Ses malheurs ne lui avaient pas enlevé sa gaieté. Les juges, pleins d'humour noir, lui demandèrent si elle se sentait libre, si elle avait peur. Et Blanche de répondre : « Je n'aurais pas été plus à mon aise dans la chambre du Pape ». « Ne croyez-vous pas que Charles eût pu trouver un parti plus avantageux que vous ? » lui demanda brusquement un des juges. Blanche s'inclina en souriant, un peu ironique.

Le Pape Jean XXII annula aussitôt le mariage et Charles IV épousa la fille de l'empereur. Blanche reçut alors la permission de se cloîtrer dans l'abbaye de Maubuisson. Elle y prit l'habit religieux en 1325. Se souvenait-elle encore du beau Philippe de Mauny ? Elle mourut un an plus tard.

LES CHATEAUX A L'ÉPOQUE DE LA GUERRE DE CENT ANS

Le château de MEHUN-SUR-YEVRE. Miniature des « Très riches Heures » du duc Jean de Berry.

Peu à peu les guerres privées entre seigneurs disparaissent, interdites par les derniers Capétiens, héritiers de Philippe le Bel. Les puissants châteaux forts vont-ils devenir inutiles, remplacés par de simples manoirs, comme Vincennes ?

La guerre de Cent Ans anéantit cet espoir. Aux guerres privées allait succéder une guerre longue et dure entre deux puissants royaumes, la France et l'Angleterre.

Les deux premiers Valois, Philippe VI et Jean le Bon, faillirent perdre la France par leurs imprudences chevaleresques, à Crécy et à Poitiers.

Le fils de Jean le Bon, Charles V, à l'inverse de ses prédécesseurs, fut « sage et subtil », dit Froissart, car « en se contentant d'être dans ses chambres il reconquérait ce que ses prédécesseurs avaient perdu sur les champs de bataille, la tête armée et l'épée au poing ».

Le roi Charles aimait les belles constructions. C'est ainsi qu'il embellit le sombre Louvre de Philippe Auguste. Son architecte, Raymond du Temple, construisit un grand et bel escalier à vis, où l'on pouvait admirer les statues de tous les membres de la famille royale.

Mais le roi aimait aussi à s'ébattre en été en ses villes et châteaux « hors Paris ». Ce fut Raymond du Temple qui transforma Vincennes, le manoir de Saint Louis, aidé par Guillaume d'Arondelle. En 1366-1367 le château était achevé ; il comprenait un donjon rectangulaire, à tourelles rondes sur les angles, enfermé dans une première et une seconde enceintes rectangulaires, flanquées de tours et d'échauguettes ; une chapelle ajourée, étincelante de vitraux, s'élevait légère au-dessus des robustes créneaux, rivale de la Sainte-Chapelle de Saint Louis, l'aïeul auquel Charles V voulait ressembler.

C'est là que vers huit heures le roi allait entendre la messe, « célébrée glorieusement à chant mélodieux »

VINCENNES. La courtine qui entoure le donjon de Charles V.

VINCENNES. Le donjon construit par Charles V.

par la voix pure des enfants de sa chapelle. A l'issue de la messe, il recevait « toutes sortes de gens riches et pauvres, dames ou demoiselles, femmes veuves » qui lui présentaient leurs requêtes.

Vers dix heures il déjeunait frugalement et buvait du vin « clair et sain », puis il recevait les princes et les chevaliers dans ses salles grandes et magnifiques, tendues de tapisseries. Après la sieste, il allait admirer ses joyaux avec le trésor royal conservés dans le donjon où, à sa mort, on trouvera 32 000 francs.

★

C'est à ce moment que le château prend un nouveau visage. Jusqu'alors il avait accueilli fort souvent un village entier ; on trouvait dans son enceinte des magasins, des maisons, des chapelles, restes des temps primitifs. Désormais le château est bâti pour le seigneur et dans son intérêt seul.

C'est ainsi que Gaston Phébus, comte de Foix et vicomte de Béarn, fait construire le château de Pau à l'époque de Charles V, par Sicard de Lordat, originaire de Foix, où s'élevait déjà l'imprenable château qui, jadis, avait bravé Philippe le Hardi.

Froissart, le chanoine-reporter de Liège, se rendit chez Phébus et nous raconte sa vie à Pau. Les salles sont jonchées de feuillages, parfois de glaïeuls ; de belles tapisseries sont tendues aux murs et décrochées quand le comte quitte le château.

Dans la chambre de Gaston on voit des coffres garnis de florins et de livres de Morlaas (1). Le seigneur n'est plus comme ses lointains ancêtres, il sait le prix de l'argent ; souvent, d'ailleurs, il est payé par le roi pour guerroyer contre l'Anglais. Gaston cependant puise sagement dans ses caisses car ce Béarnais n'aime guère « folles largesses ».

Le comte sort de son « retrait » et va dans le « tinel » (2) ou dans sa chapelle pour recevoir les hommages de ses vassaux. Comme il adore la chasse, il entretient autour de lui une armée de veneurs, d'oiseleurs, de valets de chiens, le cor en bandoulière, un large couteau à la ceinture.

A partir de midi Gaston fait la sieste sur un lit de plumes, muni d'un traversin. Le soir tombe sur les sommets bleutés des Pyrénées, le dormeur s'éveille et fait collation, puis il prie dans son retrait et donne des aumônes, « cinq francs par jour en petite monnaie pour l'amour de Dieu ».

---

(1) Le florin est une monnaie de Florence et la livre de Morlaas une monnaie méridionale.

(2) Grande salle.

La nuit enveloppe le grand château de crépi blanc. Minuit sonne. Précédé de douze valets portant des torches, Phébus passe dans le tinel. Après s'être lavé les mains, il s'asseoit à la place d'honneur, les valets se rangent devant la table, flambeaux au poing. On commence de manger. Est-ce par crainte du poison ? les viandes sont essayées par Gaston, le fils de Phébus. Gaston est délicat, il n'aime que la volaille, mais il ne mange que les ailes et les cuisses. Il ne boit guère.

Bien qu'elle soit pleine de convives, la salle n'est guère bruyante car nul n'ose parler sans la permission du très haut et redouté seigneur. Puis il fait chanter rondeaux, chansons et virelais par des ménestrels. Quelques pages d'un livre aimé sont lues. Tous se taisent car Monseigneur aime que les phrases résonnent hautes et claires dans le silence. Parfois il interrompt pour faire naître un débat, non pas en gascon, note Froissart, mais « en beau et bon français ». Ensuite chacun se retire et se livre au sommeil.

Parfois ce sommeil est troublé, car le château possède un fantôme facétieux et charmant, Orton ; il a la courtoisie de se nommer ainsi à un chevalier de Phébus qu'il se plaît à tourmenter.

★

Les « Princes des fleurs de lis », — c'est ainsi qu'on nommait les princes du sang issus de Saint Louis, — font construire des châteaux qui ne le cèdent en rien pour la magnificence à ceux des grands seigneurs méridionaux comme Phébus.

Bourbon l'Archambault était le Vichy du Moyen âge ; les gens du pays et les étrangers boiteux et éclopés venaient y chercher la santé (1).

(1) Bourbon dérive de Borvo, la divinité celtique des sources thermales.

Cette belle seigneurie était tombée aux mains du fils de Saint Louis, Robert de Clermont. Apprécia-t-il les eaux de la fontaine ? Etait-il rhumatisant ? On l'ignore ; toujours est-il qu'il se plut fort au château de Bourbon dont il construisit les trois tours du Nord.

Son fils, Louis Ier, poursuivit les travaux sous le règne de Philippe le Bel ; une tour énorme, la « Quiquengrogne », dominait ces bâtiments nouveaux.

Les bourgeois de Bourbon voyaient avec inquiétude s'élever la Tour qui menaçait leur ville. Mais le haut et redouté seigneur duc répondit à leurs humbles suppliques : « Je la bâtirai qui qu'en grogne ».

Pour abriter les reliques de la vraie Croix données par Saint Louis à Robert de Clermont, le duc fit construire une chapelle. Plus tard une nouvelle chapelle, plus grande et plus belle encore, s'éleva à côté de la première.

Les trois tours de BOURBON-L'ARCHAMBAULT.

Les ruines de MEHUN-SUR-YEVRE.

Le château était luxueusement décoré ; dans l'escalier de la tour du Nord-Est on admirait des peintures : une dame était représentée entre deux musiciens dont l'un jouait de la cornemuse ; à leurs côtés gambadait un chien dans un semis de fleurs de lis.

La Sainte Chapelle neuve de Bourbon-l'Archambault était une véritable châsse rayonnante de vitraux ; ils contaient la légende de la Vraie Croix, dont la relique était conservée dans un reliquaire d'or surmonté d'une couronne étincelante de pierreries.

★

Le frère de Charles V, le duc Jean de Berry, fut à la fois un amateur d'art délicat et un grand bâtisseur. Son château de Mehun-sur-Yèvre, qu'il fit peindre dans ses «Très riches Heures», était célèbre. Froissart, qui le visita en 1387, le trouve « un moult bel chastel » et remarque que le duc y fait « œuvrer tous les jours ».

On y travaillait depuis dix-sept ans, en effet, car Mehun avait été commencé en 1370 par le maître d'œuvre (1) Guy de Daumartin.

Pour bâtir Mehun, le Languedoc dont le duc était gouverneur, avait dû donner son or, et non seulement le Languedoc, mais aussi le royaume que Berry avait gouverné avec ses frères durant l'enfance de Charles VI. Aussi chaque année s'élèvent plus hautes les tours orgueilleuses de Mehun.

Secrètement jaloux, le duc de Bourgogne, Philippe le Hardi, envoie son « imagier » Claus Sluter examiner le château de son frère Berry.

Le grand sculpteur flamand ne put retenir un cri d'admiration devant les tours hautes et robustes de pierre blanche sur lesquelles s'élevaient des tourelles ajourées, étincelantes de vitraux ; on eût dit de grands reliquaires ornés de rubis et d'émeraudes. Par la grâce de ses tourelles légères Mehun annonce déjà les châteaux de la Loire.

★

Louis d'Orléans, frère de Charles VI, élevait des châteaux non moins beaux que ceux de son oncle, Jean de Berry. Non content d'avoir restauré Coucy, qu'il avait acquis, il avait fait bâtir Pierrefonds. C'était à l'extérieur une forteresse, mais à l'intérieur un véritable palais percé de larges fenêtres, avec une gracieuse chapelle. A Pierrefonds les tours s'ornaient des statues des Preux, cependant qu'à La Ferté-Milon, autre château de Louis, les Preuses, version féministe des Preux, devaient garder les tours en éperon. La porte de ce château était surmontée d'un grand bas-

(1) L'architecte.

relief, sculpture où l'on admirait la Vierge à genoux couronnée par le Christ.

Le duc d'Orléans menait dans ses châteaux une vie élégante et fastueuse. Il avait épousé une belle Italienne, la fille du duc de Milan, Valentine Visconti. Il avait toujours autour de lui ses lévriers, ses fous qui cabriolaient, et ses ménestrels qui jouaient de la viole et du rebec.

Il se promenait vêtu de costumes d'une richesse singulière, tout brodés d'animaux, de fleurs d'or et d'argent. Il aimait tant la musique qu'il les ornait parfois de clochettes et de sonnettes. Un jour il lui prit fantaisie de faire broder en perles, sur une houppelande, les notes de musique d'une chanson qu'il aimait.

Malheureusement pour ce prince raffiné, il se mêla de politique. Son frère, Charles VI, était fou ; Louis d'Orléans, qui l'était un peu moins, voulait gouverner le royaume, mais son cousin, le duc de Bourgogne, Jean Sans Peur, avait la même ambition. Louis avait choisi pour emblème un bâton noueux avec pour devise « Je l'ennuie », Jean Sans Peur un rabot avec pour légende « Ich oud » (1), « Je le tiens ». L'un d'eux devait disparaître.

Un soir de novembre 1407, Louis d'Orléans, qui sortait de chez la reine Isabeau, fut assassiné par des hommes de Jean Sans Peur. De ce meurtre devait naître la guerre civile qui opposa les Armagnacs, partisans du fils de Louis d'Orléans, aux Bourguignons de Jean Sans Peur. Cette querelle fit renaîre la guerre de Cent Ans.

★

Pierrefonds, La Ferté-Milon montrent les derniers perfectionnements de la défense en face des progrès de l'artillerie à feu, qui remplace l'artillerie à contre-

(1) Le duc de Bourgogne était aussi comte de Flandre, ce qui explique cette devise flamande.

Château de Tarascon. (Photo Elpe-Production) ▶

poids et à ressort des XIIe et XIIIe siècles. Dès 1338, le roi de France utilise les canons qu'on appelle des « pots de fer », qui lançaient alors des espèces de flèches. Bientôt ces flèches firent place aux boulets de pierre. Le Prince Noir, fils d'Edouard III, utilisa à son tour l'invention.

LA FERTE-MILON, avec ses tours en éperon, ornées des statues des Preuses.

Bien qu'ils fussent aussi dangereux dans les débuts pour les servants que pour l'ennemi, les canons n'en étaient pas moins une arme redoutable. Pour lutter contre eux, on augmenta l'épaisseur des murs, on éleva la hauteur des tours ; à Pierrefonds, les tours sont surmontées de tourelles ; on renforce les tours, comme au siècle précédent, par des éperons. Avant de disparaître pour toujours, tué par le canon, jamais le château fort n'a été plus haut, plus orgueilleux.

Charles VI, avant sa folie, avait nommé connétable de France Olivier de Clisson, un noble breton, ennemi du duc de Bretagne, Jean de Montfort, qui, secrètement, soutenait les Anglais.

Olivier de Clisson, pour défier son suzerain, avait reconstruit le château de Josselin, dont les neuf tours dominaient le confluent de l'Oust et du petit ruisseau de Saint-Nicolas, en plein cœur du Morbihan.

Le duc de Bretagne invita le connétable à Vannes. A la fin d'un plantureux dîner au château de l'Hermine, le duc se saisit de Clisson et l'enferma dans la grosse tour et là, on l'enferra de trois paires de fort gros fers.

JOSSELIN mire ses trois tours dans les eaux de l'Oust.

Siège du temps de Louis X. Au premier plan, la bombarde avec ses boulets de pierre. ▶

« Le ferai-je pendre, noyer ou brûler ? » se demandait chaque jour le duc. Finalement il le laissa aller en exigeant une forte rançon, Josselin et dix autres forteresses.

Pourtant Montfort dut capituler, rendre au connétable tous ses biens.

A Paris, où il se rendit, il but dans la même coupe que Clisson, en gage d'amitié.

Le duc, humilié, jura de se venger et tenta de faire assassiner le connétable au sortir d'un bal. Le roi fit serment de punir cette tentative de meurtre.

C'est en voulant poursuivre les agresseurs de Clisson que le roi perdit la raison dans la forêt du Mans.

La folie du roi allait causer la disgrâce de Clisson, chef du parti des « Marmousets », les ministres de Charles VI, bourgeois pour la plupart. Clisson était le premier visé. On disait qu'il avait une fortune de 1 700 000 francs.

Le duc de Bourgogne, Philippe le Hardi, qui dirigeait désormais le royaume, un jour l'accueillit avec des injures. La situation était grave. Vers le soir, escorté de deux compagnons, Clisson gagna le château de Montlhéry, puis, en se cachant, par les bois et les bruyères, il parvint dans son château de Josselin.

La tour de MONTLHERY.

Sans tarder la cour de France lui fit son procès, « comme faux et mauvais traître », sa charge de connétable lui fut enlevée ; il fut mis au ban du royaume. Mais, derrière les fortes tours de Josselin, le connétable déchu se riait du bannissement. Indépendant désormais, aussi bien du duc de Bretagne que du roi de France, il justifiait sa devise : « Pour ce qu'il me plaît »

*

Pour venger le meurtre de Louis d'Orléans, les conseillers armagnacs du Dauphin Charles avaient fait assassiner au pont de Montereau le duc Jean Sans Peur. Son fils, Jean le Bon, s'allia aux Anglais qui conquirent toute la France au nord de la Loire.

Le Dauphin Charles s'était réfugié à Bourges à la mort de son père, Charles VI, le roi fou. On l'avait

La tour de l'horloge à CHINON, où passa Jeanne d'Arc.

Jeanne d'Arc se rendant à Chinon, escortée par deux conseillers du roi, en robe longue, et deux huissiers à verges. Contrairement à la vérité historique, le miniaturiste a habillé Jeanne en femme.

surnommé le roi de Bourges. Il résidait tantôt à Mehun-sur-Yèvre, tantôt à Chinon. Le souverain qui régnait à Paris était le roi d'Angleterre, le jeune Henri VI.

Un soir de mars 1429, une jeune fille en costume de page, mit pied à terre pour gravir la pente roide qui montait au château de Chinon. Elle devait être reçue par le roi. La masse énorme du château s'élevait devant elle. Il fallait qu'elle vît le roi. On l'admit enfin à paraître devant le dauphin.

Cinquante torches éclairaient la grande salle de Chinon. Un long murmure montait de la foule des courtisans, gentilshommes en jacque (1) écarlate, aux chausses collantes terminées par de longues poulaines, graves conseillers en longues robes fourrées.

Pour frayer un chemin à la mince adolescente, les huissiers frappaient de leur verge sur la tête des assistants.

(1) Sorte de veste courte.

La jeune fille portait des chausses comme les hommes et son chaperon de laine laissait passer ses cheveux noirs coupés en sébile, à la manière des valets.

Très assurée, elle marcha droit vers le roi, ôta son chaperon, et fit une révérence paysanne en disant : « Dieu vous donne bonne vie, gentil Dauphin ! »

Celui qu'elle appelait ainsi, parce qu'il n'avait pu être sacré à Reims, occupé par les Anglais, n'était autre que le roi Charles qui ne payait pas de mine. Il avait un long nez et des jambes cagneuses.

Lorsqu'elle eut fait son salut de bergère, Charles l'interrogea : « Quel est ton nom ? Que me veux-tu ? » Elle lui répondit avec la même assurance :

— Gentil Dauphin, j'ai nom Jeanne la Pucelle et vous mande le Roi des cieux par moi que vous serez sacré et couronné à Reims et serez le lieutenant du Roi des cieux qui est le roi de France.

Elle promit ensuite que par elle serait levé le siège d'Orléans qui était sur le point de se rendre aux Anglais.

Les jeunes courtisans se poussaient du coude, quelques rires fusèrent ; les graves conseillers souriaient d'un air sceptique. A la surprise générale le roi la tira à part et eut avec elle un entretien.

Charles avait toujours des doutes au sujet de la légitimité de sa naissance, car Isabeau de Bavière, sa mère, passait pour être de mœurs fort légères. Répondant à cette hantise secrète, Jeanne la Pucelle le rassura : « Je te dis, de la part de Messire (1) que tu es vrai héritier de France et fils de roi ; il m'a envoyée vers toi pour te conduire à Reims pour y être couronné et consacré, si tu le veux ».

Quatre mois plus tard Orléans était pris et le Dauphin Charles était sacré à Reims. La Pucelle avait tenu la promesse de Chinon.

(1) C'est ainsi que Jeanne d'Arc appelle Dieu.

Les années passèrent, le roi de Bourges était désormais Charles le Victorieux ; il avait reconquis sa vraie capitale, Paris, mais il lui préférait les calmes paysages de la Touraine.

Avec sa favorite, Agnès Sorel, il aime séjourner au château de Loches. Celle qui sera la première des grandes favorites royales était Tourangelle. Le roi

◀ LOCHES. Le gracieux logis construit par Charles VII, et la tour d'Agnès Sorel.

Derrière les tours à éperon, le donjon plus ancien de LOCHES. ▶

l'avait connue à la cour du duc de Lorraine où elle était dame d'honneur. Agnès était d'une merveilleuse beauté et osa se faire peindre par Fouquet en Vierge, le front ceint d'une haute couronne de pierreries et de perles, entourée d'une cour de chérubins vermeils. Bien vite elle fut plus que reine. Son influence fut bienfaisante d'ailleurs ; elle entoura le roi de conseillers habiles et intelligents. Charles VII la combla de faveurs et fit d'elle la dame de Beauté, d'Issoudun et de Vernon.

La favorite attendait un enfant du roi quand elle mourut par un soir gris d'hiver, en février de l'an 1450. Du logis royal où elle résidait, on la conduisit dans son magnifique tombeau à la Collégiale de Notre-Dame (1). La dame de Beauté y était représentée en gisante, deux anges à son chevet, à ses pieds les agneaux, rappel de son prénom Agnès. « Ci-gît demoiselle Agnès », dit la brève épitaphe, « en son vivant, dame de Beaulté, pitoyable envers toutes gens et qui largement donnoit de ses biens aux églises et aux pauvres. »

On raconta que Jacques Cœur, le grand argentier de France, avait empoisonné la dame de Beauté. Le roi, inconsolable, le fit arrêter et mettre à la torture. Il s'en fallut de peu qu'on ne l'exécutât. D'autres accusèrent le Dauphin, le futur Louis XI, d'avoir commis ce crime.

Même morte la belle Agnès continua d'avoir des adorateurs. François Ier la célébra, peut-être en regardant à Loches, au flanc d'une gracieuse tourelle qui sert d'escalier à la Tour d'Agnès, un couple de jeunes

(1) Aujourd'hui Saint-Ours.

CHATEAUDUN. Le château, construit par Dunois, près du donjon plus ancien.

amoureux sculpté, qu'on disait être Charles VII et Agnès Sorel : « Gentille Agnès, tu mérites plus de louange, la cause étant de libérer la France, qu'une nonne enfermée dans son cloître ou un dévot ermite. »

Le plus amusant de ces adorateurs posthumes fut le préfet Pommereul, sous le premier Empire. Agnès était à la mode. Comme la Pucelle, n'avait-elle pas contribué à « bouter » l'Anglais hors de France ? Le zélé fonctionnaire fit porter le tombeau de la favorite royale dans la Tour d'Agnès Sorel, au château de Loches, et l'orna d'inscriptions ronflantes : « Je suis Agnès, vivent France et l'Amour ! ». L'archevêque de Tours s'émut toutefois de ce style troubadour et le préfet dut les faire disparaître.

Le duc Louis d'Orléans n'avait guère été fidèle à son épouse Valentine Visconti. De ses amours avec la Dame de Canny naquit le célèbre Bâtard d'Orléans, Monseigneur Jean, que la duchesse fit élever avec ses propres enfants.

Le jeune homme avait reçu le nom de Dunois, emprunté à son fief, le Dunois, dont la capitale était Châteaudun.

Dunois avait défendu héroïquement Orléans assiégé ; il avait été le compagnon d'armes de la Pucelle. Vers la soixantaine, il prit le goût du bâtiment. Ce n'était plus alors le « jeune chevalier entrant dans Orléans, beau comme un saint Georges », avec son hoqueton de drap d'or (1), à la tête de ses hommes d'armes, bardés de fer.

A Beaugency, un de ses fiefs, il fit construire un corps de logis, mais il se plut à rebâtir son Château Dun, le siège de son comté de Dunois. Il laissa subsister une grosse tour ronde, percée de rares ouvertures, et fit édifier, de 1441 à 1468, à pic sur un rocher du Loir, un château austère à l'extérieur, ouvert et clair à l'intérieur. Dans une chapelle, le vieux Dunois venait prier devant l'image de Notre Dame, entourée d'une cour de saints, parmi lesquels on remarquait le patron du bon Dunois, saint Jean-Baptiste.

★

Si Tarascon est célèbre par le légendaire Tartarin, il mérite aussi de l'être par son château, construit par le bon roi René. Il était duc d'Anjou, comte de Provence et roi déchu de Naples. Ce contemporain de Charles VII et de Louis XI, fort débonnaire, se consolait en peignant et en organisant des fêtes pour les pêcheurs à la ligne qui le surnommèrent le roi des gardons.

(1) Sorte de veste portée par les chevaliers au XVe siècle, sur l'armure.

« L'Ange du Lude », œuvre du canonnier Jean Barbet, 1475.

On est étonné, quand on voit la masse du château de Tarascon qui domine le Rhône et qui rappelle la Bastille élevée par Charles V, qu'un prince à ce point jovial ait fait construire par son maître d'œuvre, Jean Robert, si farouche demeure, mais, dans l'ombre d'une cour étroite comme un puits, fleurit un décor charmant, précurseur de la Renaissance.

★

Les architectes du roi René étaient très appréciés ; c'est à l'un deux, Jean Gendrot, maître des œuvres du bon roi, que Jean de Daillon, seigneur du Lude, confia la restauration de son château aux trois quarts ruiné, comme bien d'autres, à la fin de la guerre de Cent Ans. Lorsque le château fut terminé en 1475 (1), Daillon fit appel à un fondeur lyonnais pour achever le faîte de la tourelle. Il fallait l'orner d'une girouette de bronze.

Ce fondeur, nommé Jean Barbet, était homme de bien et craignant Dieu ; son seul défaut était d'aimer un peu trop certain vin d'Anjou, travers bien excusable chez un homme toujours près du feu et sevré de Beaujolais, sa boisson favorite. Son fils Jacques, Jacquinot pour ses camarades, était le plus grand drôle de la province ; bien qu'il fût enfant de chœur de la chapelle de Jean de Daillon et qu'il chantât les motets à haute et belle voix, il tramait toujours quelque tour. A treize ans, leste et souple comme un singe, il grimpait dans les arbres et arrosait ses camarades de tout autre chose que d'eau bénite. C'était un parfait petit vaurien. Cependant son père, fondeur de canons, était fort embarrassé ; il était plus habitué à fondre de grosses bombardes qu'à figurer des anges. En désespoir de cause, ce fut Jacquinot qu'il choisit pour modèle de l'angelot ailé qui devait veiller au

(1) Il fut remanié, d'ailleurs, à l'époque de Louis XII et de François Ier.

TARASCON. Le château du roi René. Dans le Midi, les toits aigus du nord ont disparu.

sommet de la tour du château de Jean de Daillon. Il le représenta, bouclé comme un page, les lèvres un peu épaisses, souple et mince dans sa longue robe de chapelle, tenant une croix d'une main et de l'autre montrant avec l'index d'où soufflait le vent.

— Vilain diable ! lui dit son père, je te transforme en girouette de bronze, de diable tu deviendras ange. J'espère que désormais tu abonderas en vertu.

— Comptez là-dessus, et buvez de l'eau, mon redouté père, susurra in petto Jacquinot qui connaissait le peu de goût du Lyonnais pour l'élément cher aux grenouilles.

Quand il eut achevé son œuvre, le père Barbet, tout fier, le signa : « Le 18e jour de mars, l'an 1475, moi Jean Barbet de Lion fit cet angelot ».

Devenu ange, le jeune diable du Lude accomplit fort honnêtement son métier de girouette. Jadis enfant chanteur, il se gardait bien de grincer comme ces girouettes de fer qui se plaisent la nuit à faire concurrence aux aigres miaulements des matous.

Bien que l'angelot Jacquinot fût un modèle de girouette, un jour pourtant il perdit son poste voisin du ciel ; on le relégua dans l'escalier du château où il servit prosaïquement de boule d'escalier. Il supportait sans plaisir cette déchéance. De messager du ciel le voilà devenu presque concierge. Un jour, le châtelain désargenté le vendit à un riche Américain. Le pauvre angelot du Lude, fort marri, abandonna le ciel gris bleu des pays de la Loire pour celui plus âpre du Potomac où il est encore en exil.

★

Si le souvenir gracieux d'Agnès Sorel plane encore sur Loches, ce château rappelle aussi un passé moins aimable. En effet son donjon neuf, construit au XVe siècle, servit de prison d'Etat dès cette époque.

Un des premiers prisonniers, le plus célèbre aussi, fut le cardinal Balue, qui devait tout à Louis XI et qui le trahit au profit de Charles le Téméraire. Le roi, justement irrité, le fit enfermer à Loches.

On raconta que le pauvre cardinal avait été l'inventeur de ces cages qui étaient de la hauteur d'un homme, avec de terribles ferrures. Elles avaient deux mètres de large, la porte était arrondie et formait une espèce de niche où le prisonnier pouvait « décharger son ventre » par un trou placé en bas de la porte.

On conserva ces fameuses cages jusqu'en 1790, date à laquelle on en donna le bois aux trois familles les plus pauvres de la paroisse ; quatre morceaux furent réservés cependant, on les brûla solennellement pour le feu de joie du 14 juillet.

★

Comme Loches, le Plessis-lès-Tours a conservé une triste réputation, bien peu méritée d'ailleurs.

C'était, non loin de Tours, un grand manoir dans le parc des Montils où Charles VII avait déjà un logis. Louis XI le fit clore de murs en 1473 et décida de s'y installer.

Entrons en visiteur dans le château royal, par une porte-poterne à pont-levis, défendue par deux tours rondes à chapeau pointu.

Dans une sorte de campement, entouré de fossés, une foule bariolée de pages, de gardes, de gens du commun, jacassent et piaillent.

Une cour assez grande s'ouvre ensuite, qu'une barrière sépare des carrés de légumes ; c'est le jardin royal. Comme dans toute grande exploitation agricole, on trouve un abreuvoir, un puits.

Le PLESSIS-LES-TOURS au XVIIe siècle, avant les destructions qui suivirent.

PLESSIS-LES-TOURS. La chambre de Louis XI. Le lit du roi.

Le château est gai, très clair, avec des chaînages de briques. Par un bel escalier à vis, montons à l'étage supérieur d'où l'on voit les toits d'ardoises fines de Tours.

Chaque jour le roi fait sa promenade dans une jolie galerie, fermée par une verrière maillée de plomb. Vers le parc il peut se promener aussi dans l'enclos où sont des jardinets carrés. Au-delà du jardin s'étendent les hautes frondaisons du parc. Le roi y a ses daims, ses chiens, ses oiseaux. On y lâche lièvres, renards pour les faire « courre » (1) par les chiens.

Mieux vaut ne pas se hasarder à entrer dans les cachots où le roi Louis garde ses prisonniers. Parfois de ces prisons on entend des bruits de sonnettes. Ce sont les chaînes des captifs qui en sont ornées. Ces malheureux portent aussi de curieux fers avec des boules et des bracelets à serrure dont ils se passeraient, certes, fort bien.

Pénétrons plutôt dans les appartements royaux qui sont spacieux et clairs. Le roi aime le confort, les petites pièces chauffées par de grandes cheminées. Des cuves sont disposées pour le bain.

Le roi vieilli, jusqu'alors errant de château en château, aménage le Plessis. Sa chambre est simple, ornée de deux tableaux : deux demoiselles en papier (2), trois chandeliers d'argent doré. Le long des murs, des bancs, quelques tapisseries. Une petite horloge portative sonne les heures. Dans une cage ronde chantent des serins et de petits oiseaux. Auprès du roi dorment ses chiens préférés sur des coussins de laine.

Louis XI possède aussi une petite bibliothèque, composée surtout de livres d'histoire et de médecine, car il soigne son régime, ayant grand peur de mourir. Son médecin Coitier amassera une fortune en exploi-

---

(1) Poursuivre. Le mot s'est conservé dans « chasse à courre ».
(2) Deux dessins sur papier sans doute.

Azay-le-Rideau. (Photo Elpe-Production) ▶

tant cette crainte. Comme il ordonne des transfusions de sang au roi, on chuchote qu'il fait tuer des enfants.

Le roi a peur de la maladie, il a peur aussi des assassins, bien qu'il soit brave. Il fait entourer le Plessis de gros barreaux de fer. Sur les crêtes se hérissent des broches de métal. Aux quatre coins une guérite de fer dans laquelle des arbalétriers montent la garde. Ils tirent sur quiconque approche la nuit.

Le roi, jusqu'alors si avare pour sa parure, s'habille désormais de robes de satin cramoisi, fourrées de bonnes martres. Il a des manies. Il achète des bêtes étranges, en Barbarie, des adibes, espèces de petits loups, en Danemark, des élans et des rennes.

Mais l'état du roi empire. Goutteux, congestif et fiévreux, Louis XI n'espère désormais plus rien de la médecine. En revanche il met toute sa confiance en Dieu et les saints. Il s'entoure de reliques.

On dit grand bien d'un saint homme, un ermite calabrais, François de Paule. Le roi le fait mander d'Italie.

Un soir de mars 1482, dans sa belle galerie, Louis XI s'entretient de la venue du saint homme avec son écuyer Jean Moreau, porteur de la bonne nouvelle.

— Je sens une telle joie, dit-il, et une si grande consolation à l'approche de ce saint personnage que je ne sais si je suis au ciel ou sur la terre. Pour cette nouvelle si agréable, demandez-moi telle récompense que vous voudrez, Jean, mon ami.

Bonne affaire, songe l'écuyer, ma fortune est faite.

— Eh bien ! Sire, puisque vous le désirez, je vous supplie humblement pour que vous m'accordiez tout bonnement un évêché pour mon frère, qui est clerc et de grande science, et pour moi, votre serviteur, dix mille écus d'or.

— Eh bien ! Jean, mon compère, vous aurez l'une et l'autre grâce, répondit le roi.

Quelques jours plus tard, Louis XI, agenouillé devant saint François de Paule, le supplie : « Saint homme ! Saint homme ! empêche-moi de mourir ! »

Le médecin royal Coitier grommelle dans un coin. Le malade lui échappe. Ses bonnes médecines valent mieux que toutes ces patenôtres. « Ce soi-disant saint homme est un fourbe », glisse-t-il dans l'oreille du roi, un soir. « Tentez-le avec de l'or et vous verrez bien. »

Louis XI suivit le conseil. Il s'approche un jour du moine avec un bonnet rempli d'or.

— Acceptez cet argent, mon père, il vous servira à construire à Rome un beau monastère.

Mais saint François de Paule, avec un doux sourire, refusa, au grand étonnement du roi et surtout de l'avide Coitier.

Les prières du vénérable ermite furent aussi impuissantes à guérir le roi qui se meurt. Il fait venir la Sainte-Ampoule de Reims, qui jamais n'a quitté la ville du sacre.

Désormais ses serviteurs ne tremblent plus devant lui. Coitier lui déclare durement un soir : « Sire, il faut que nous nous acquittions ; n'ayez plus d'espérance en ce saint homme ni en autre chose, car c'en est fait de vous. Pensez à votre conscience, car il n'y a nul remède ».

Le malade répond avec un sourire rusé : « J'ai espérance que Dieu m'aidera car, par aventure, je ne suis pas si malade que vous le pensez ».

Mais Louis XI ne trompera pas la mort comme il a trompé ses ennemis. Son état s'aggrave et il meurt le 30 août 1483, à huit heures du soir, assisté par saint François de Paule.

« Jamais les vendanges ne furent si belles cette année-là », conte flegmatiquement un bon chroniqueur tourangeau à la même date.

LES CHATEAUX DE LA RENAISSANCE

L'échauguette de CHAUMONT, qui semble surveiller la plaine, n'est plus qu'un ornement.

La mort de Louis XI et le règne de Charles VII marquent les débuts de la Renaissance française qui verra le triomphe du style « Château de la Loire ».

Le château dépouille peu à peu son caractère de forteresse ; les tours et les douves subsistent, parfois aussi les ponts, les mâchicoulis, les créneaux sont conservés, mais ils ne gardent plus qu'un rôle décoratif. Comme le seigeur est devenu gentilhomme, le château prend un air de fête, un air de cour.

Sa silhouette demeure la même, mais elle s'affine et prend de la grâce. Cette évolution, d'ailleurs, était annoncée de longue date par des châteaux comme Mehun-sur-Yèvre ou Saumur, dès la fin du XIVe siècle.

SAUMUR, l'ancêtre des légers châteaux de la Loire.

◄ SAUMUR. Entrée du château, au-dessus de la porte une « bretèche » sur les mâchicoulis.

L'ornementation, d'abord encore gothique, comme à Amboise et au Blois de Louis XII, s'inspire rapidement du décor de la Renaissance italienne ; des pilastres, ornés d'élégantes arabesques, encadrent les fenêtres, les lucarnes s'ornent de frontons à l'antique. Parfois on sculpte sur les murs des médaillons représentant les Césars ou des personnages célèbres de l'Antiquité.

Dans cette première partie de la Renaissance le château garde son architecture traditionnelle, tout en adoptant de plus en plus le décor emprunté à la Renaissance italienne, par l'intermédiaire de Milan. Cette influence s'explique par les guerres d'Italie commencées par Charles VIII ; les Français seront séduits par la Péninsule et par son art pour eux tout nouveau. Louis XII et François Ier, étant ducs de Milan, feront venir en France de nombreux artistes italiens, d'abord des sculpteurs, plus tard des architectes.

Les ministres, les courtisans imiteront l'exemple de leurs maîtres. Toutefois l'art nouveau devra longtemps faire sa place à l'art traditionnel. De ce mélange parfois heureux de deux styles naîtra le charme des châteaux de la Loire.

Les bâtisseurs de châteaux sont, comme aux siècles précédents, les rois, mais aussi de riches financiers, comme les Bohier pour Chenonceau et les Berthelot pour Azay-le-Rideau. Après le roi, les princes du sang et les grands seigneurs, c'est au tour de la bourgeoisie d'avoir des châteaux.

★

A la fin du règne de Louis XI, son fils, le Dauphin Charles, était élevé au château d'Amboise. Après avoir été possession de la famille qui portait son nom, le château, confisqué par Charles VII, était devenu une demeure royale.

Louis XI, qui craignait fort que le Dauphin ne fût enlevé par ses ennemis, claquemurait son fils sous la garde d'un seigneur tourangeau, Jean Bourré, qui était grassement pensionné. Ce dernier fit construire de fort beaux châteaux en Touraine, le Plessis-Bourré, par exemple. Mais il ne pouvait guère y résider car, nuit et jour, il veillait sur le Dauphin.

Des gardes sont en permanence sur les courtines du château. On voit au loin la lueur des fagots auxquels ils se chauffent la nuit. Bourré, de temps à autre, voudrait bien aller voir son beau Plessis, mais le roi, inflexible, lui répond sèchement : « Vous ne vous en irez point en votre maison ».

On fait lire au futur Charles VIII un long volume, le « Rosier des guerres ». « Le roi doit être le jardinier de son peuple », lit-on dans cet ouvrage, rédigé sur ordre de Louis XI pour le Dauphin, « et jamais la guerre n'a rapporté un denier à personne ».

Charles VIII ne devait guère se souvenir des lectures du Dauphin car, à peine eut-il échappé à la sage tutelle de sa sœur Anne de Beaujeu, la « moins folle fille de France » au dire de Louis XI, qu'il s'empressa de revendiquer la couronne de Naples et de partir pour l'Italie. L'expédition tourna mal et le roi dut revenir en France après la bataille de Fornoue.

On pourrait croire que sa triste jeunesse à Amboise lui aurait donné à tout jamais l'horreur de ce château. En fait il n'en fut rien. Avant et après son voyage italien, Charles VIII ne cessa de chérir Amboise, qui fut vraiment son œuvre.

Avant de partir pour Naples le roi avait passé l'été entier de 1489 à Amboise et médité un grand projet. On construirait deux corps de logis, l'un au nord, face à la Loire, qui subsiste encore, l'autre au midi, sur la vallée de l'Amasse, dite « des Cuisines ou des Sept Vertus », aujourd'hui détruit ; deux tours énormes, la Tour des Minimes, au nord, la Tour Hurtault, au sud,

LE PLESSIS-BOURRE, beau château du morose gouverneur de Charles VIII. Partout les fenêtres s'ouvrent, perçant les courtines.

LE PLESSIS-BOURRE au XVIIe siècle, vu par un artiste naïf mais précis.

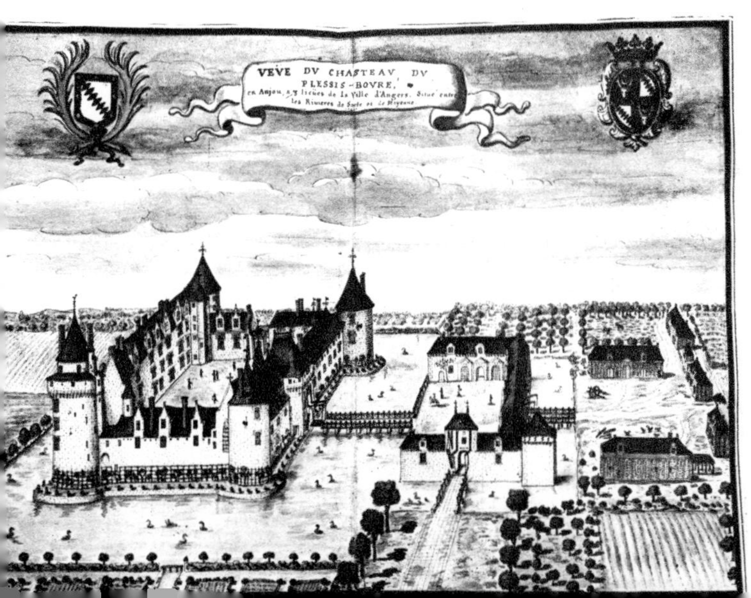

AMBOISE. Le lourd donjon fait contraste avec la légèreté du logis de Charles VIII qu'il paraît protéger.

devaient donner accès au plateau où s'élèverait le futur château.

L'expédition d'Italie, de 1494 à 1495, n'arrête pas les travaux. Cent soixante-dix maçons et soixante-dix à quatre-vingt-dix manœuvres sont sur le chantier. On mène les travaux avec tant de hâte pendant l'hiver qu'on doit acheter de la chandelle pour éclairer les maçons et les menuisiers qui besognent même la nuit ; de même il faut faire du feu pour dégeler les pierres que les maçons vont tailler.

Grâce à ce travail intensif, les deux corps de logis sont achevés avant la fin du règne, ainsi que la Tour des Minimes et une partie de la Tour Hurtault. Partout on y voit l'épée flamboyante et les C enlacés, emblèmes de Charles VIII.

La Tour des Minimes et la Tour Hurtault firent l'admiration des contemporains. Une rampe en pente douce, tournant autour d'un noyau creux, permet de faire monter aisément charrettes, mulets et litières.

La conduite de l'œuvre avait été confiée à Raymond de Dezest, bailli d'Amboise. Sous ses ordres trois maîtres-maçons réalisèrent la construction, Colin Biart, Guillaume Senault et Louis Amangeart ; on les retrouvera à Blois et à Gaillon, ainsi que les simples maçons qui travaillèrent avec eux, Jacques Sourdeau et Pierre Trinqueau, les futurs maîtres-maçons de Chambord.

Une Gorgone, les Travaux d'Hercule, sculptés dans la partie haute de la Tour des Minimes montrent l'influence italienne, mais elle est très faible encore à Amboise. Pourtant Charles VIII est revenu émerveillé d'Italie. « Il n'y manque qu'Adam et Eve pour en faire un Paradis terrestre », confie-t-il au vieux conseiller de son père, le froid Commines, qui vient cependant d'être séduit par Venise.

— A cette heure-ci, lui répond son interlocuteur, vous n'estimez plus ni Amboise, ni aucun château royal.

— A Dieu ne plaise, lui répond le roi en le fixant de ses gros yeux globuleux, Amboise est par excellence la maison royale ; le feu roi, mon père, s'y plut avant de s'enfermer au Plessis. Je la veux parer et orner, c'est pourquoi j'ai fait venir de mon royaume de Sicile des ouvriers et gens de métier pour faire des ouvrages suivant mon plaisir, à la mode d'Italie.

Commines cache un sourire. Ces quelques ouvriers, c'est tout ce qui reste au roi de sa belle conquête de Naples. Mais il se garde d'exprimer sa pensée. Les rois ont toujours raison, surtout quand ils se trompent.

Curieuse troupe, d'ailleurs, que celle de ces Italiens d'Amboise. On y trouve des ouvriers d'art, des archi-

◀ LANGEAIS. L'entrée du château.

USSE. Ce fouillis de tours annonce Chambord. ▶

tectes, Dominique de Cortone, Fra Giocondo, mêlés à un « more qui garde les papegaulx » (perroquets), et un inventeur subtil qui fait couver et naître les poulets.

Et pourtant, c'est de ce mélange singulier que va naître et se développer la Renaissance française.

Charles VIII avait aimé Amboise, et pourtant ce fut Amboise qui le tua. Un jour d'avril 1498, le roi avait joué à la paume, il était essoufflé, en sueur ; il se précipita pour franchir une porte trop basse, heurta violemment le front contre le linteau de pierre et mourut des suites de ce choc.

★

Si Amboise, avec ses tours puissantes, égayées par la grâce de ses logis aux fenêtres à meneaux, surmontées de lucarnes légères, apparaît comme une alliance entre le passé féodal et l'avenir de la Renaissance, en revanche Langeais affecte de n'être qu'une forteresse.

C'est sur l'ordre de Louis XI que son secrétaire, Jean Bourré, fit édifier ce château d'aspect sévère.

Langeais montre un visage puissant mais peu engageant. Deux hautes tours, surmontées de tourelles en retrait, forts mâchicoulis, étroit pont-levis, on se trouve en présence d'une forteresse munie des derniers perfectionnements défensifs du XVe siècle. On est loin du Plessis.

Pourtant le château fut très imité, à Ussé, notamment, sous une forme d'ailleurs plus gracieuse.

C'est dans la vaste salle haute de Langeais, ornée d'une cheminée avec un château fort aux créneaux garnis d'hommes d'armes, que Charles VIII épousa

la duchesse de Bretagne, Anne, par une froide journée de décembre 1491. Ce fut un mariage forcé. La jeune duchesse, qui avait à peine seize ans, ne voulait pas accorder sa main au roi de France. Son père, le duc François, avait toujours combattu Louis XI et la France. La duchesse, par respect pour ses volontés, décida donc d'épouser par procuration l'empereur d'Allemagne, Maximilien.

Grande fut la fureur des prétendants évincés, car cette riche héritière en avait deux, Alain d'Albret, vieux et laid, et le roi Charles de France, qui était jeune, mais qui n'était pas un Adonis. Alain d'Albret, dépité, livra Nantes aux Français, cependant que le roi marchait sur Rennes avec une puissante armée. La duchesse Anne cependant ne voyait rien venir, son fiancé-fantôme Maximilien était loin. Elle se décida à troquer la couronne impériale contre la couronne de France.

◀ BLOIS. L'aile de Louis XII. Contraste avec la simplicité de Langeais. Au-dessus de la porte, statue équestre de Louis XII.

BLOIS. Aile Louis XII. Détail de la porte représentant la statue équestre de Louis XII, réplique moderne d'une statue ancienne détruite. Au-dessous, le porc-épic, L et A, initiales du roi et de la reine. ▶

Peut-être la jeune Bretonne, au front têtu et bombé, eut-elle un mouvement de recul dans la grande salle de Langeais quand elle vit le long nez, la lippe et les yeux globuleux du roi Charles. Elle pensa peut-être à l'empereur, le bel Allemand aux longs cheveux blonds. Mais les princesses de cette époque n'étaient guère habituées aux mariages d'amour et Anne se résigna.

★

Si Amboise avait été la création de Charles VIII, en revanche ce fut Blois que chérit son successeur Louis XII.

Petit-fils de Louis d'Orléans, celui qui allait devenir Louis XII était le fils du charmant poète Charles d'Orléans.

Charles se plaisait à Blois, un de ses fiefs, et tout en rimant des rondeaux il fit construire un logis d'un style sobre mais élégant, où les cordons de pierre blanche s'allient heureusement à la brique rose.

Louis XII s'en inspira lorsqu'il ouvre, à peine roi, le chantier de Blois en 1498. A Amboise il prit ses maçons, Colin Biard et Jacques Sourdeau. Briques et chaînages de pierre rappellent l'aile de Charles d'Orléans, mais la façade avec les gables de ses lucarnes, avec la dentelle des balustres est infiniment plus fleurie. On sent que le duc est devenu roi.

Au-dessus de l'entrée de la porte principale le roi est sculpté à cheval, couronne en tête et sceptre au poing. Partout se remarque l'emblème royal, le porc-épic couronné.

Louis XII se plaît à recevoir ses hôtes dans son château ainsi embelli. C'est alors qu'il accueille l'archiduc d'Autriche, Philippe le Beau, qui vient négocier le mariage de son fils, le futur Charles Quint, avec la fille unique de Louis et d'Anne de Bretagne, la petite Claude.

A l'archiduc, pâle et beau dans ses vêtements noirs où luit la Toison d'or, le roi présente le Trésor d'armes. On y voit la hache de Clovis, l'épée du bon roi Dagobert, la dague de Charlemagne, deux haches de Saint Louis, les glaives de Philippe le Bel et de Jean le Bon, l'armure dorée de Jeanne d'Arc, garnie de satin cramoisi, qu'elle portait le jour du sacre.

On arrive enfin au portail où l'archiduc remarque, en voyant le portrait de son hôte : « Le roi sur son cheval a fort belle grâce et guerrière façon ». Mais le visiteur pense malignement qu'au naturel le roi chétif et maigre, avec ses jambes cagneuses, a moins belle mine.

Louis XII pourtant n'abandonne pas les autres résidences royales. Il a installé à Amboise le jeune François d'Angoulême, l'héritier présomptif du trône, et il réside de temps à autre au Plessis. C'est là qu'il recevra des Etats généraux le nom de Père du Peuple, cependant qu'ils réclameront le mariage de Claude avec François d'Angoulême « qui est tout François », annulant ainsi le projet d'union avec le fils de l'archiduc.

Le chancelier répond, majestueux, aux Etats : « C'est à Dieu seul que le roi reporte les louanges que lui donne son peuple. Pour le mariage le roi avisera son conseil ».

Après avoir délibéré, le roi consentit au mariage qui fut brillant. On y voyait Madame Anne, duchesse de Bourbon, la fille du feu roi Louis, la comtesse d'Angoulême, tant de dames et demoiselles qu'il semblait que « le royaume de Feminie » fût arrivé. François, qui a douze ans, est conduit par sa mère ; la petite Claude, qui a sept ans, est dans les bras de Madame de Foix ; ils sont fiancés par le Cardinal d'Amboise, le premier ministre, éblouissant dans sa chasuble d'orfroi.

Chacun jure d'observer le contrat. « De bonne foi et parole de roi », dit Louis XII.

« De bonne foi et parole de reine », murmure Anne de Bretagne, qui pourtant eût préféré l'archiduc pour sa fille.

« De bonne foi et parole de princesse », dit la mère de François, Madame Louise de Savoie.

★

Si Naples fut la folie de Charles VIII, le duché de Milan fut celle de Louis XII. Il revendiqua sur le duché les droits hérités de sa grand-mère, Valentine Visconti. Il n'eut pas de peine à conquérir le duché et ramena prisonnier le duc déchu, Ludovic le More. C'était un prince très cultivé, mécène de Vinci, mais, comme tous les tyrans de la Renaissance, sans aucun scrupule, n'avait-il pas occis son neveu, légitime duc de Milan ?

Livré par ses mercenaires suisses à Louis XII, il fut conduit à Loches et enfermé dans le cachot du Martelet. On raconte qu'il peignit les semis d'étoiles qu'on voit dans ce cachot et qu'il grava un profil casqué sur la cheminée. Jamais d'ailleurs Louis XII ne le libéra et Ludovic mourut dans son cachot de Loches.

*

Si le Blois de Louis XII a gardé une décoration gothique, il a perdu tout aspect fortifié. Il n'en va pas de même de Chaumont.

Après avoir été fondé, dit-on, par le Danois Gueldin, au temps de l'invasion normande, Chaumont

appartenait sous Louis XI à Pierre d'Amboise. Compromis dans la guerre du Bien public, Pierre vit son château confisqué par le roi. La famille d'Amboise devait pourtant rapidement rentrer en grâce. Charles Ier et Charles II d'Amboise, parents du Cardinal d'Amboise, premier ministre de Louis XII, entreprirent de le rebâtir.

Charles II d'Amboise était lieutenant général pour le roi en Lombardie. Grâce à l'or de Milan il reconstruisit les tours et les courtines de Chaumont.

Le château domine le cours de la Loire ; il a la forme d'un pentagone irrégulier ; l'aile qui regardait la Loire a été détruite au XVIIIe siècle, ouvrant ainsi une belle perspective sur le fleuve.

CHAUMONT. L'entrée.

CHAUMONT. La cour, aux fenêtres ornées. ▶

On retrouve à Chaumont tous les caractères du château fort, mâchicoulis, créneaux, pont-levis, douves, mais lorsqu'on examine les choses de plus près, on s'aperçoit que les créneaux sont devenus des galeries et que les mâchicoulis n'ont plus qu'un rôle décoratif. Chaumont, ce faux guerrier, n'a plus qu'une armure de parade ; partout à l'extérieur s'ouvrent les fenêtres à meneaux ; la cour est plus gracieuse encore avec son élégant escalier à « viorbe » (1).

Ce fut aussi pour Charles II d'Amboise que s'éleva le château de Meillant, le plus bel exemple de gothique fleuri. Les méchantes langues prétendirent « Milan a fait Meillant », insinuant que le pillage du duché avait permis au lieutenant général de faire une rapide fortune.

Meillant avait été déjà commencé par Charles Ier d'Amboise. Son fils le continua avec des moyens financiers puissants. Sur un corps de logis à deux étages, percé de fenêtres à meneaux, surmonté de lucarnes à gables ajourés, se détache une tour octogonale qui contient l'escalier à vis. Sur la terrasse, au balcon ajouré, des C entrelacés accompagnent des monts enflammés à six coupeaux (2), armoiries des Amboise, seigneurs de Chaumont. Une tourelle à coupole couronne le tout ; son faite s'orne d'un lion qui a donné son nom à la tour.

L'intérieur de Meillant était fastueux. On y voit encore une belle salle, la salle des Cerfs, ainsi baptisée à cause des cerfs sculptés, de proportions colossales, qui la décorent.

Par sa tour octogonale Meillant ne sera pas sans influence sur le Blois de François Ier.

Toutes ces demeures montrent un esprit nouveau ; les murs épais s'ouvrent, se parent de sculptures, mais le décor continue d'être gothique.

---

(1) Vis.
(2) Pointes.

MEILLANT. Un luxe extraordinaire de sculptures, surtout dans la tour de l'escalier, à droite.

Il n'en était pas de même au château de Gaillon. Il fut construit par le Cardinal d'Amboise. C'était l'ami d'enfance de Louis XII qui en avait fait son premier ministre et qui l'appelait familièrement par son prénom, Georges.

De ce château immense seuls quelques vestiges subsistent. Par son plan carré, les tours à poivrière qui cantonnaient ses angles, son donjon flanqué de tourelles, c'est encore un édifice gothique, mais le décor est déjà italien par ses pilastres ornés de rinceaux.

Les maîtres-maçons de Georges d'Amboise, Guillaume Senault, Jean Fouquet ou Colin Biart, venaient des chantiers de Blois et d'Amboise, mais certains sculpteurs étaient italiens. Le Cardinal avait fait venir

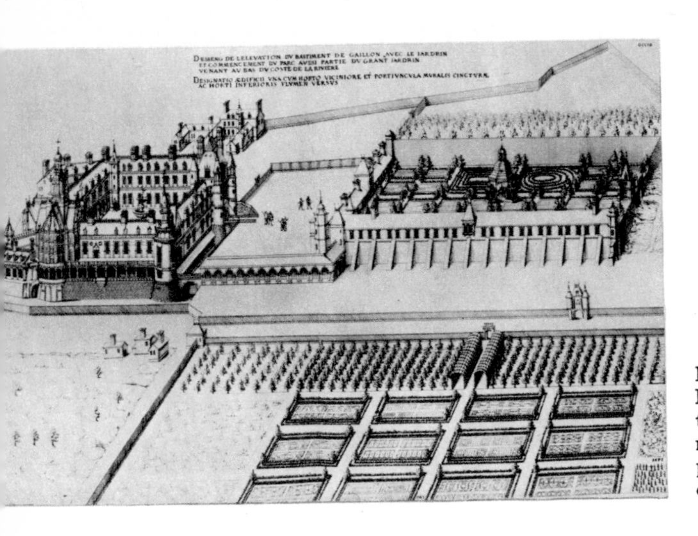

Plan du XVIe siècle de GAILLON. Le château a été détruit à l'époque révolutionnaire. Les jardins, avec des parterres en carré, sont encore médiévaux.

de Gênes, alors française, fontaines, médaillons, bas-reliefs et bustes.

Le Cardinal aimait les fontaines dans la cour, la double vasque d'une fontaine de marbre blanc, ornée de nymphes et de satyres, faisait entendre le murmure de ses eaux vives. Sur son piédestal on voyait saint Georges terrassant le dragon et le porc-épic de Louis XII.

Au centre des jardins un pavillon octogonal abritait une fontaine à deux vasques. Ces fontaines, en marbre de Carrare, étaient l'œuvre de sculpteurs italiens.

La chapelle, à trois étages de verrières, était superbe ; l'Italien Solario l'avait peinte à fresques. En revanche, c'est à un Français, au grand sculpteur Michel Colombe, que le Cardinal confia le soin de faire un grand retable de marbre blanc, où l'on voit le chevalier saint Georges transpercer un gros dragon bon enfant.

Comme à Meillant, toutes ces belles tours, ces fontaines jaillissantes étaient construites avec l'or du duché de Milan. Le Cardinal d'Amboise y songeait-il quand il disait, avant de mourir, à son infirmier, le frère Jean : « Ah ! Frère Jean, Frère Jean, que n'ai-je été toute ma vie frère Jean ! »

★

Louis XII suivit de peu au tombeau son fidèle ministre. Son petit-cousin, François d'Angoulême, lui succéda. C'est sous son règne que la Renaissance va s'épanouir dans cette Touraine qu'un Italien appelle alors « le verger de la France ».

Comme Charles VIII, François d'Angoulême a passé sa jeunesse à Amboise. Il y organise des jeux qui rappellent ceux du cirque à Rome. Un jour, il lâche un sanglier de quatre ans dans la cour entourée, pour la circonstance, de fortes palissades. Le sanglier, hérissé, s'élance, s'acharne contre des mannequins. Soudain, il voit une brèche, il s'y précipite. Cris de panique des spectateurs. Le sanglier fonce droit au roi. François l'attend de pied ferme, déploie son bras et transperce le sanglier de sa grande épée.

Amboise est alors par excellence la « maison royale ». Comme tous les souverains du temps, François d'Angoulême, devenu François Ier, a une ménagerie ; on entend la nuit les lions rugir dans les fossés où ils sont parqués.

Après Marignan, le roi fera de fréquents séjours à Amboise. C'est, non loin de là, au manoir du Clos-Lucé, qu'il a installé Léonard de Vinci. Souvent le roi s'arrête au Clos pour s'entretenir avec le grand artiste : « Mon père, dit-il en entrant, mon père, je viens vous voir ». Vers lui s'avance lentement un grand vieillard à barbe blanche qui, à soixante ans, en paraît cent. Il dessine le château d'Amboise. Autour de lui, sur les murs, brillent la sainte Anne, le saint Jean-Baptiste et Monna Lisa.

C'est alors qu'une aile nouvelle, dans le style de la Renaissance, va être bâtie, à l'instigation, sans doute, de la mère du roi, Madame Louise de Savoie, qui réside à Amboise.

La vie royale à Amboise n'est qu'une longue suite de fêtes. Mascarades et tournois se succèdent. Le roi est jeune et victorieux. En avril 1517 on baptise le Dauphin. Les façades sur la cour sont tendues de tapisseries représentant la destruction de Troie et les travaux d'Hercule. On tend sur la grande cour des pavillons de toile semée de fleurs de lis. Torches au poing, car il fait presque nuit, quatre cents archers de la garde et les Suisses forment un long ruban de lumière.

Derrière eux marchent les tambours, puis les clairons du roi et de la reine, bannières déployées, suivis par les grands officiers, les chambellans, les chevaliers de Saint-Michel, rutilants dans leurs costumes de drap d'or, de satin broché et de velours cramoisi, chacun tenant un cierge de cire vierge à la main.

Le baptême a lieu dans la collégiale, parée de drap d'or et d'argent. Au retour un immense festin est servi dans la grande cour sous le couvert des tentures.

Parfois les divertissements sont plus guerriers. C'est ainsi que le roi fait construire au marché d'Amboise un bastillon, garni de tours, défendu par des canons en bois, dont les boulets sont de gros ballons. Tenu par le duc d'Alençon, il est attaqué par les ducs de Bourbon et de Vendôme.

★

Après Amboise, Blois bénéficie de la faveur royale. C'était le château de la reine Claude, qui le tenait de Louis XII. C'est l'emblème de la reine, le cygne percé d'un dard, que l'on voit souvent avec la salamandre sur l'aile dite de François Ier. A Blois, Claude était chez elle.

De 1515 à 1524 le roi fera travailler à Blois ses maîtres-maçons, Colin Biart, Jacques et Denis Sourdeau. Peut-être furent-ils supervisés par un conseiller artistique plus au fait des modes nouvelles de l'Italie.

On retrouve sur la façade de la cour les croisées de pierre, mais les fenêtres sont encadrées de pilastres où se jouent des satyres, des nymphes, de gracieux candélabres de feuillage. Les lucarnes ne sont plus surmontées de gables et de pignons, mais de frontons et de candélabres. L'escalier tournant, octogone à claire-voie, rappelle les escaliers gothiques, mais sa décoration est entièrement Renaissance.

Des loggias s'ouvrent sur la façade extérieure comme dans les galeries de Bramante au Vatican. Elles seront imitées plus tard au château de la Rochefoucauld. Le roi et sa cour peuvent ainsi prendre le frais au crépuscule et deviser d'amour et de chevalerie.

Partout l'F majestueux apparaît, mêlé au chiffre de Claude de France, l'hermine à côté de la salamandre. Outre l'hermine et le cygne percé d'une flèche, la reine a aussi un emblème moins romantique, une pleine lune avec la devise « Candida candidis », « Blanche pour les blancs », qu'on interprète ainsi : « Favorable aux gens de bien ».

BLOIS. L'aile François Ier, et à droite, tour de l'escalier Louis XII. Deux styles différents, mais rapprochés par un même goût de richesse élégante.

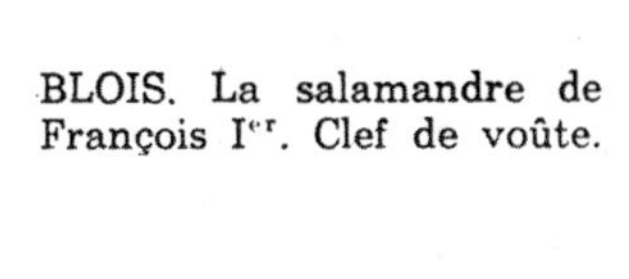

BLOIS. La salamandre de François Ier. Clef de voûte.

Est-ce à Amboise, est-ce à Blois que le roi remarqua une jeune fille blonde, au col souple, Anne d'Heilly, qu'il allait faire duchesse d'Etampes, éclipsant ainsi, non seulement la pleine lune de la reine Claude, mais aussi l'altière grande favorite du moment, Françoise de Châteaubriant, que François Ier compara un peu rudement à la « bête insensée » (était-ce la vache ?) et comme elle, il l'envoya aux champs paître.

Si à Blois la salamandre royale est parfois offusquée par l'emblème lunaire de Claude de France, à Chambord elle peut s'épanouir librement. Au cœur de giboyeuses forêts, Chambord n'est qu'un énorme rendez-vous de chasse. François y a appelé, dès 1519, les frères Sourdeau, Jacques et Denis, Pierre Trinqueau, qui ont déjà travaillé à Blois.

Les fondations seront difficiles à établir car le terrain est très marécageux. Le plan de Chambord est celui du château fort de plaine, Vincennes, par exemple : une enceinte rectangulaire, avec un puissant donjon de quarante-quatre mètres de côté sur un des grands côtés.

Bien entendu, ce n'est que par son plan seul que Chambord rappelle une forteresse ; les mâchicoulis ont disparu, remplacés par de légers balcons qui cou-

rent autour du donjon et qui offrent aux seigneurs et aux dames de la cour un commode belvédère pour suivre les grandes chasses à courre.

A la simplicité des façades, aux fenêtres encadrées de pilastres nus, s'oppose l'exubérance décorative des combles où fûts de cheminées et lucarnes luttent en

CHAMBORD. Les combles, hérissés de clochers et de cheminées richement ornés.

CHAMBORD. L'entrée du grand escalier, voûtée en anse de panier. Dans les caissons, la salamandre et l'F.

◀ CHAMBORD. Au luxe des toits s'oppose la simplicité des hautes fenêtres.

richesse avec la tour-lanterne qui signale l'escalier composé de deux vis qui tournent l'une sur l'autre sans jamais se rejoindre.

La sculpture de la Renaissance triomphe à Chambord dans huit cents chapiteaux, tous différents : chimères, lézards, dragons, singes, harpies. L'ardoise noire, en cercle ou en losange, brille sur la pierre blanche des fûts de cheminées et de la lanterne. Peut-être Rabelais a-t-il songé à Chambord quand il a décrit son opulente abbaye de Thélème.

La chambre royale se trouve dans la tour du Nord-Est. C'est là, dans l'embrasure de la fenêtre, que le roi désillusionné écrit un soir en grandes lettres : « Toute femme varie », auquel répond en écho celle d'un de ses petits clercs qui écrit sur son registre : « Amour de femme et rire de chien, tout n'en vaut rien ».

★

Tout comme le roi ou ses favoris, Messieurs les financiers veulent avoir eux aussi leurs châteaux.

Général des finances (1) de Normandie, Thomas Bohier, qui construisit Chenonceaux, était un homme d'argent patient et rusé. Pendant vingt ans il convoita Chenonceaux, alors possession de la famille de Marques. Au bout d'un long procès, qui aboutit à la ruine des Marques, Bohier s'empara du château.

C'était alors une rude construction fortifiée. Il la fit raser, à l'exception de la tour ronde, dite tour de Marques, qui s'élève devant le château. Elle fut d'ailleurs transformée au goût du jour avec des lucarnes et des fenêtres ornées de pilastres et de frontons, dans le style nouveau.

Bohier eut ensuite l'idée originale de construire sur les piles d'un ancien moulin une demeure nouvelle sur le Cher, de 1515 à 1522. Les maçons qui travail-

(1) Haut fonctionnaire des finances. Sa circonscription était la généralité.

CHENONCEAUX. Vue aérienne.

lent à ce moment à Chenonceaux sont de modestes maçons qui veulent être à la page en copiant, tant bien que mal, le style gracieux de la tour de Marques, œuvre d'artisans plus experts.

La femme de Bohier, Catherine Briçonnet, dirigea d'une main ferme cette métamorphose d'un moulin en château et fit sculpter sur des médaillons de la salle des gardes saint Thomas et sainte Catherine, patrons de Bohier et de son épouse. Sur les lourds vantaux de chêne on lit encore la devise du patient financier : « S'il vient à point m'en souviendra ».

Mais rien ne vint à point pour le fils de Thomas, Antoine. Certains financiers, scandaleusement enri-

AZAY-LE-RIDEAU, comme Chenonceaux, se reflète dans des eaux calmes.

chis, durent rendre gorge. Antoine Bohier fut du nombre et jugea prudent de vendre à François Ier son beau Chenonceaux pour payer les sommes énormes dues par son père au Trésor.

C'est également un financier, Gilles Berthelot, qui, en 1518, avait hérité la seigneurie d'Azay, jadis fief du comte d'Anjou, Geoffroy Martel, puis seigneur du Ridel, qui donna son nom au lieu en 1119.

Gilles Berthelot était un financier richissime, parent du surintendant des Finances Semblançay, qui fut pendu pour ses malversations. Comme à Chenonceaux, ce fut une femme qui dirigea les travaux, Philippe Lesbahy, l'épouse de Berthelot.

Le maître-maçon, Etienne Rousseau, fut-il l'architecte d'Azay ? fut-il un simple exécutant ? Il est difficile de le savoir. A ses côtés travaillèrent un « maçon-sculpteur », Pierre Maupoint, et un menuisier parisien, Thierry.

On retrouve à Azay le décor italianisant de Chenonceaux. Tours et mâchicoulis ne sont plus que des ornements. A l'intérieur l'escalier à vis, typiquement gothique, fait place à un escalier droit, une invention d'Italie alors dans sa nouveauté.

Comme à Blois des galeries surmontent la porte d'entrée (1). Partout dans la riche décoration d'Azay sont mille fois répétées la salamandre de François Ier et l'hermine de la reine Claude, duchesse de Bretagne, avec les initiales P et G, celles des maîtres de céans, Gilles Berthelot et Philippe Lesbahy.

Malgré cette flatterie délicate pour ses souverains, le richissime Berthelot ne jouit guère de son beau château. Compromis dans le scandale Semblançay, craignant de se balancer au gibet de Montfaucon comme son parent, le surintendant, il préféra s'enfuir à l'étranger et ne revint jamais plus à Azay.

---

(1) De nos jours elles sont obturées par des fenêtres.

Les châteaux de la Loire respirent la joie de vivre, la jeunesse de la Renaissance et de François Ier. Mais Pavie va dissiper ce climat de bonheur.

« De toute chose ne m'est demeuré que l'honneur et la vie sauve », écrit François Ier à sa mère le 24 février 1525, au soir de Pavie. Il est prisonnier de son ennemi, Charles Quint, le Milanais est perdu.

Une dure captivité va suivre pour le prince aimable de Chambord et de Blois. Quand il sera libéré, il renoncera peu à peu aux rives de la Loire. En 1528 il fait connaître aux bourgeois de Paris qu'il compte « passer la plupart de son séjour en sa bonne ville et cité de Paris et alentour ».

Château de BRUNIQUEL. Fondé, dit la légende, par la reine Brunehaut, il domine l'Aveyron, sur la falaise. La galerie Renaissance.

Désormais on ne construit plus guère en Touraine et les maçons de la région partent pour Paris.

Valençay montre la décadence de l'architecture tourangelle vers 1540. On y retrouve le style de Blois et de Chambord maladroitement adapté, mêlé à des innovations, les dômes, assez lourds, empruntés à l'architecte italien Serlio.

*

Grâce aux grands seigneurs de l'entourage du roi, le style de la Loire s'est répandu.

A Oiron, Artus et Guillaume Gouffier, favoris de François Ier, construisirent un château splendide, avec

VALENÇAY aux tours coiffées d'énormes chapeaux melons.

une galerie aux arcades « en anse de panier » (1), surmontées de médaillons de marbre représentant des personnages de l'Antiquité. C'est à Oiron qu'on ramènera, après Pavie, le corps de Guillaume Gouffier, seigneur de Bonivet, tué dans la bataille.

Claude Gouffier, le fils d'Artus, continuera les travaux. Comme il avait une énorme fortune et qu'il était comte de Caravaz, certains pensent qu'il fut le prototype du marquis de Carabas.

Galiot de Genouilhac, grand maître de l'artillerie de France, un des vainqueurs de Marignan, délaissa ses bombardes pour édifier, de 1526 à 1535, à Assier, dans le style tourangeau, un château cantonné de tours. On y pénétrait par une porte triomphale, surmontée d'une statue, qu'on suppose être celle de François Ier ou du maître du lieu, qui ne paraît pas avoir brillé par la modestie.

Partout la décoration rappelle la charge de Galiot : ce ne sont que boulets sculptés et pots à feu. Des bombardes crachant trois boulets à la fois sont figurées sur les bas-reliefs parmi des villes en flammes et des tours qui s'écroulent.

Le belliqueux grand-maître n'a pas omis de faire figurer maintes fois sa devise énigmatique : « J'aime fort une » ou « J'aime fortune ». La Fortune, elle aussi, aima Galiot, car il ne fut jamais disgracié par son maître, rare exemple dans l'histoire des favoris.

*

Le roi de Navarre, Henri d'Albret, avait épousé la sœur du roi François, Marguerite de Valois, la Marguerite des Marguerites. Comme son frère, la charmante princesse était artiste et lettrée. Henri d'Albret était un petit roi fort pauvre et son château de Pau, qui remontait à Gaston de Foix, bien qu'il ait été un

(1) Arc surbaissé, employé à la fin du XVe siècle et au début du XVIe siècle.

PAU. L'entrée du château et le donjon de Phébus.

peu rajeuni entre 1463 et 1472, parut assez morose à Marguerite, habituée à la grâce des châteaux de Touraine.

Des souvenirs sinistres flottaient sur les tours et les courtines de Pau. Le roi de Navarre, François Phébus, tout jeune encore, y avait été empoisonné en janvier 1483; un jour qu'il avait pris une flûte pour se divertir, à peine l'eut-il approchée de sa bouche qu'il se sentit pris de douleurs violentes. Malgré les secours que lui donnèrent sa mère et ses médecins, il mourut deux heures après.

En novembre 1527, Marguerite de Valois arrive à Pau où son mari avait convoqué ses Etats (1).

Le château en cette saison est glacial et la nouvelle reine de Navarre dut s'aliter. « Je me trouve fort mal et faible, soupire-t-elle, bien qu'il faille parler à ceux du pays pour toutes sortes d'affaires ». Quelques jours après Marguerite et le roi quittèrent le château « bien matin ».

Deux ans plus tard les travaux de modernisation commencèrent sous la direction du Berrichon Tolègre, maître d'œuvre, puis de Pierre Tornoier, « maître-

(1) Comme les Etats-Généraux en France, ils comprenaient les représentants de la Bourgeoisie, de la Noblesse et du Clergé.

Château de NERAC. La résidenc favorite de Marguerite de Navarr

◀ PAU. La fameuse carapace de tor tue qui servit, dit-on, de bercea au Vert-Galant.

maçon de la maison du roi », assisté par le Tourangeau Malemouche.

Des portes et des fenêtres richement sculptées s'ouvrirent dans la cour du vieux château. Un escalier droit à l'italienne remplaça les cuisines de Phébus.

Le château était devenu fort habitable, mais Marguerite lui préfère pourtant Nérac, car elle hait les montagnes. C'est pourtant à Pau qu'elle passera les deux dernières années de sa vie, après la mort de son frère qu'elle adorait, en laissant cette confession désabusée : « J'ai porté plus que mon faix de l'ennui commun à toute créature bien née ».

Veuf et vieilli, Henri d'Albret réside de plus en plus à Pau et c'est là qu'il veut que sa fille, Jeanne d'Albret, vienne mettre au monde l'héritier de Navarre.

Jeanne arrive à Pau le 4 décembre ; son père la loge au premier étage du château avec un de ses vieux valets de chambre qui devait le prévenir quand l'enfantement serait proche.

Dans la nuit du 12 au 13 décembre la duchesse ressent les premières douleurs. Le valet avertit le roi qui dévale l'escalier.

Quand la princesse le vit entrer, elle entonna ce motet béarnais : « Nostre Done deu cap deu pont » (Notre Dame du bout du pont). C'était la Vierge vénérée dans l'oratoire du Pont à laquelle les femmes grosses se vouaient pour avoir un accouchement sans douleur.

Entre deux et trois heures naquit le futur Henri IV.

Le roi de Navarre, fou de joie, mit sa chaîne d'or au cou de sa fille, et lui confia la boîte où était son testament, en lui disant : « Ceci est à vous, ma fille, mais cela est à moi », puis il prit l'enfant dans sa grande robe et l'emporta dans sa chambre.

Le jeune prince était venu au monde sans crier ni pleurer. Le roi lui frotta les lèvres avec une gousse d'ail et lui présenta du vin qu'il avala hardiment. Plein d'allégresse, le roi s'écria : « Tu seras un vrai Béarnais ! » Puis, se souvenant de la plaisanterie des Espagnols à la naissance de sa fille Jeanne : « Miracle, la vache (1) a fait une brebis », il déclara avec emphase : « Regardez, maintenant cette brebis a enfanté un lion ! »

★

Au retour de sa dure captivité de Madrid, François Ier avait déclaré qu'il résiderait désormais à Paris et dans sa région. Bien qu'il continuât les travaux à Chambord, il s'efforça de tenir parole.

Dans la petite forêt de Boulogne, tout près de la capitale, il fait construire un château appelé officiellement de Boulogne, mais que les Parisiens baptisèrent « Château de Madrid », prétendant qu'il était sembla-

---

(1) La vache figure dans les armes du Béarn.

ble au château espagnol où le roi avait été prisonnier. Tout cela est un conte. Rien dans le château de Madrid, aujourd'hui détruit, ne rappelle l'Alcazar de Madrid, et le roi n'avait aucune raison de raviver des souvenirs humiliants pour son orgueil.

Madrid montre un type nouveau de château. Plus de tours rondes comme à Chambord. Deux grands pavillons, flanqués de tourelles carrées, sont reliés par une aile centrale. Un double étage de portiques légers court le long de la façade, interrompu par les tourelles. Une frise de faïence animait le premier portique de ses couleurs vives ; les arceaux du second étaient ornés de médaillons également en céramique.

Par ses proportions régulières, ses pavillons carrés, Madrid annonce les châteaux de l'époque classique.

C'est un Italien, parent des grands céramistes florentins, Girolamo della Robbia, qui composa le décor de faïence des portiques, mais il fut aidé par deux Tourangeaux, Pierre Gadier et Gatien François. La construction dura d'ailleurs fort longtemps : trente ans plus tard, Girolamo della Robbia y travaillait encore !

e château de MA-RID. Gravure an-enne. Il ne reste lus rien du château.

Mais plus encore qu'au château de Madrid, c'est à Fontainebleau que François se plaît. « Je vais chez moi », dit-il lorsqu'il s'y rend. Fontainebleau est plus qu'Amboise le « séjour des rois ». Depuis Louis le Gros s'élève un manoir royal au cœur de la forêt de Bière. Philippe Auguste y a résidé et Philippe le Bel y est mort. Mais plus que ces grands souvenirs, c'est la

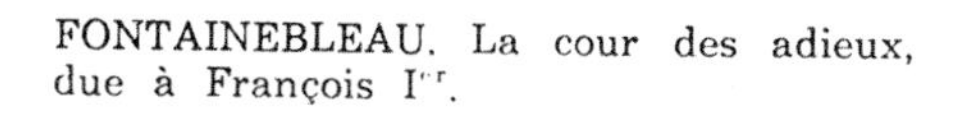

FONTAINEBLEAU. La cour des adieux, due à François Ier.

FONTAINEBLEAU. La salle de bal de Henri II.

FONTAINEBLEAU. Cheminée du salon François Ier, décorée de stucs par Primatice.

forêt qui attire le roi : « Nous avons délibéré y faire notre résidence, déclare-t-il en 1528, pour le plaisir que nous prenons à la chasse des bêtes rousses et noires ».

Fontainebleau contraste par son austérité avec la grâce des châteaux de la Loire ; il est construit en grès dur qui se prête malaisément à la sculpture. Sa cour ovale, œuvre de Gilles le Breton, montre de grands toits, de hautes fenêtres séparées par de simples pilastres.

Mais la splendeur des appartements contraste avec la sévérité de l'extérieur. L'artiste italien Rosso compose un décor original où les peintures mythologiques sont encadrées par des stucs représentant des satyres ou des nymphes. La favorite royale, la toujours belle duchesse d'Etampes, possède une chambre à coucher d'un luxe plus que royal, reliée par la galerie dite de François Ier à la chambre de son souverain.

Le Florentin Cellini, grand artiste, un peu charlatan, un peu aventurier, fond une Diane de bronze pour la voûte de la Porte dorée qui donne accès au

FONTAINEBLEAU. Vue sur l[e] parc. ▶

◀ FONTAINEBLEAU. L'escalier e[n] forme de fer à cheval.

château. Il fond aussi pour François Ier un Jupiter d'argent et le présente au roi et à la cour en janvier 1545. « Voilà ce qui coûte dix mille francs et que l'on met quatre ans à faire », remarque avec aigreur la duchesse d'Etampes.

Benvenuto Cellini répond du tac au tac : « Voilà un des ouvrages qu'on a su fournir en quatre ans en plus de quantité d'autres ».

Madame d'Etampes lance une réplique cinglante. La favorite est toute-puissante. Benvenuto joue sa carrière, pourtant il ose lui tenir tête.

— Je n'ai point de compte à rendre de mes ouvrages à personne qu'à Sa Majesté.

— Eh ! que dirais-tu si tu avais à répondre à d'autres encore qu'à Sa Majesté ? insinue la duchesse.

— Si j'avais à rendre compte à d'autres, je ne resterais pas ici.

— Que dirais-tu si tu avais à rendre compte à moi aussi ?

— Si j'avais à rendre compte à vous, Madame, je ne resterais pas un instant de plus chez Sa Majesté.

— Assez ! assez ! dit le roi, le sourcil froncé, mais secrètement charmé de l'audace de l'orfèvre florentin.

Toutes les discussions artistiques ne sont pourtant pas aussi ardentes. Le peintre italien, Primatice, un autre décorateur de Fontainebleau, a ramené de Rome pour le roi des copies de bronze de statues antiques. François Ier vient les admirer avec Madame d'Etampes, le Cardinal de Ferrare et deux demoiselles.

Le roi lorgne une Vénus et la montre à Madame d'Etampes :

— Admirez, Madame, comme est belle la mère de l'Amour. Son corps est parfait.

La duchesse ne répondit rien, se contentant de sourire, secrètement jalouse peut-être de la déesse antique, et rentra se chauffer dans une chambre avec d'autres dames.

Si le roi est amateur d'art, il est aussi bibliophile. Dans la bibliothèque du château sont amassés à grands frais des manuscrits grecs, latins et hébreux.

En 1540, sur le conseil du Connétable de Montmorency, Charles Quint fut invité par François Ier à passer par la France pour châtier ses sujets gantois révoltés. Les Français apprécièrent l'événement de façons diverses. Triboulet, le fou du roi, écrivit sur ses tablettes que Charles Quint était encore plus fou que François Ier de s'exposer ainsi à traverser la France.

— Si je le laisse passer sans rien faire, lui demanda le roi, que diras-tu ? — J'effacerai son nom et j'y mettrai le vôtre.

Malgré ces réserves, le roi offrit à l'empereur une réception somptueuse et, pour l'éblouir, il s'empressa de lui faire visiter ses « délicieux déserts » de Fontainebleau.

Le logis destiné à l'empereur est en forme de « pavillon tout à jour » et décoré fastueusement de tapisseries et de statues.

SAINT-GERMAIN-EN-LAYE. Alliance de la pierre et de la brique. Toitures plates à l'italienne.

Une troupe, déguisée en dieux, en nymphes et en satyres, accueillit l'hôte impérial au château. Dans le jardin se dressait un arc de triomphe orné de trophées, et, vers l'Etang, une grande colonne dorée jetait des flammes à son sommet, et, par des trous ménagés dans sa hauteur, des ruisseaux de vin, mais aussi d'eau pure, coulaient.

★

C'est aussi pour sa forêt que Saint-Germain, lui aussi vieille résidence royale, est gratifié d'un château nouveau vers 1539-1540. C'est une œuvre originale, de

François Pierre Chambiges, qui élève deux étages d'arcades terminés par des toits en terrasses ; aux étages supérieurs on retrouve l'alternance de brique et de pierre de l'époque Louis XII, mais inversée, l'encadrement des fenêtres en brique se détache sur les murs de pierre.

Les toits en terrasses, la régularité des fenêtres surmontées d'un fronton montrent la naissance d'un nouveau style, qui va s'affirmer sous Henri II.

★

Désormais l'art antique triomphe. La décoration s'assagit, les colonnes remplacent les pilastres fleuris ; peu à peu les lucarnes ornées disparaissent. La Renaissance fait place à l'âge classique au moment où François Ier achève son long règne.

★

Après le voyage de Charles Quint en France, François Ier avait abandonné l'alliance impériale et disgracié le connétable Anne de Montmorency qui l'avait préconisée. Montmorency se consola de ses malheurs en faisant bâtir Ecouen et Chantilly.

Ecouen fut construit sur un plan carré. Quatre ailes, flanquées de pavillons carrés à hautes toitures, entouraient une cour. Ses façades rappellent parfois Chambord, mais les colonnades d'ordre « colossal » (1) annoncent le style classique.

Partout on voyait la devise grecque du connétable, « aplanos », sans faute et très fidèle, avec le dextrochère, le bras bardé de fer qui brandit l'épée, emblème de la connétablie. La salamandre de François Ier est sculptée aussi dans la partie du château qui date de son règne, bientôt remplacée, pour les ailes plus récentes, par le soleil brillant dans un ciel nuageux, em-

(1) On appelle ainsi une colonnade qui correspond à plusieurs étages.

blème de Catherine de Médicis, et le croissant, emblème de Henri II et de sa favorite Diane de Poitiers, qui firent rentrer Montmorency en grâce.

Certains ont prétendu que le futur Henri II, alors Dauphin, aurait rencontré souvent Diane de Poitiers au château d'Ecouen. On a voulu voir une allusion à ces amours princières dans les vitraux de la grande galerie d'Ecouen où l'on voit un Amour de dix-huit ans avec une Psyché bien plus vieille. Mais ce sont pures médisances, car le connétable n'eût guère été courtisan de souligner la différence d'âge qui existait entre le jeune Dauphin et sa maîtresse.

Le haut portique de l'aile du midi, attribué à Jean Bullant, qui abritait les grands esclaves de marbre

CHANTILLY. Un des châteaux du puissant Montmorency.

A ECOUEN, la Renaissance devient sévère.

ECOUEN. Cheminée du château, ornée d'une « Victoire » qui brandit l'épée, emblème du connétable.

La Malmaison en automne.
(Photo Roger Puech)

de Michel-Ange, est très imposant avec ses colonnes corinthiennes colossales.

Dans la grande salle du château une Victoire ailée, portant l'épée du Connétable, orne une cheminée incrustée de marbres de couleurs. De méchants esprits prétendaient que cette Victoire, œuvre de Jean Goujon, était la seule victoire visible du Connétable. Il faut avouer, en effet, que Montmorency n'était guère heureux sur les champs de bataille.

C'était aussi Jean Goujon qui avait sculpté les Vertus de l'autel de la chapelle du château, où brillaient de beaux vitraux représentant les petits Montmorency, aux visages poupins, sagement agenouillés à la file indienne devant leur frère aîné, vêtu d'un somptueux tabard (1) constellé des alérions de Montmorency.

★

Quand Ecouen fut achevé, le croissant d'argent de Madame Diane de Poitiers brillait sur le royaume. Il avait éclipsé le soleil nuageux de Catherine de Médicis, la reine légitime. Diane de Poitiers, veuve du grand sénéchal de Normandie, était devenue la grande favorite de Henri II.

A peine fut-il roi, Diane, qui se voulait plus que reine, entreprit la construction d'un château somptueux à Anet. Le sombre souvenir du roi de Navarre, Charles le Mauvais, planait encore sur Anet qui fut un de ses fiefs. Charles V, qu'il avait voulu faire empoisonner, avait rasé le château. Le fief était tombé depuis entre les mains des Brézé. Diane de Poitiers, veuve de Louis de Brézé, en avait hérité.

Elle fit appel, pour construire Anet, au surintendant des bâtiments du roi, Philibert Delorme. On le considérait comme un prodige : n'avait-il pas, dès l'âge de

---

(1) Sorte de veste.

quinze ans, dirigé une équipe de trois cents ouvriers employés par son père, gros maître-maçon de Lyon !

Le château fut consacré tout entier à la déesse de la chasse et des nuits. A l'entrée, au-dessus de la voûte, une chasseresse de bronze. C'était la Diane de Benvenuto Cellini que Henri II avait donnée à la favorite. Au sommet du portail, un cerf de bronze frappait les heures du pied quand les chiens qui le pourchassaient les avaient annoncées par leurs aboiements.

Dans la cour on admirait une nouvelle image de Diane, étendue nonchalamment près d'un cerf, œuvre de Jean Goujon.

Autant qu'un château, Anet était un temple de la favorite, qui prétendait, comme les déesses, à une éternelle beauté. On a dit qu'à soixante-dix ans elle était aussi fraîche et aimable qu'une femme de trente. Elle soignait cette beauté virilement par des bains froids ; ensuite elle faisait une promenade le matin dans la rosée, elle revenait, se recouchait, lisait un peu,

ıâteau d'ANET.

ᴎET. Le grand portail du châ-
au. Au-dessus de la porte,
ane, et au faîte, un cerf et des
iens, symboles de la chasse.

puis déjeunait. On disait aussi qu'elle usait d'un bouillon d'or potable comme produit de beauté, mais c'est peut-être une légende.

Outre Anet, la belle Diane, d'un naturel fort avide, s'était fait offrir Chenonceaux par Henri II. Elle y construisit un pont pour relier le château à la rive gauche du Cher, et elle ordonna surtout de magnifiques jardins à l'italienne, ornés de rosiers musquins (1) et de lis, mais également plantés d'artichauts et de melons, très rares à l'époque. Elle soignait aussi ses vignes, car elle aimait fort le vin d'Arbois extrait de ses plants. Malgré ce goût, Diane n'en gardait pas moins un teint d'une éclatante blancheur.

A la culture de la vigne elle joignait l'élevage des vers à soie.

Un coup de lance dans un tournoi tua Henri II. Désormais la favorite n'était plus rien. La veuve de Henri II, l'Italienne blafarde, Catherine de Médicis,

(1) A senteur de musc.

devenue toute-puissante, allait prendre sa revanche. Jusqu'alors elle avait dû dissimuler, faire bonne figure à sa rivale ; elle jeta le masque et obligea Diane à restituer les joyaux de la couronne et d'accepter Chaumont en échange de Chenonceaux.

★

A la mort de Henri II le pouvoir était passé aux Guise qui gouvernaient sous le nom du jeune François II. Les Guise, fervents catholiques, continuaient la politique de persécution des Protestants du roi défunt.

Ces derniers résolurent de s'emparer du roi. La Cour, lentement, se dirigeait de Blois vers Amboise, quand on dénonça le complot au duc François de Guise.

La Cour s'enferma en hâte à Amboise, dont les fortes tours pouvaient soutenir un siège.

Les conjurés cependant espéraient pénétrer dans la ville à la tête de cinq cents gentilshommes. A un signal donné du château par un conspirateur, les bandes huguenotes, cachées dans les bois, s'élanceraient à la rescousse. Tous unis, ils forceraient les portes du château et iraient demander respectueusement au roi d'écouter leurs humbles remontrances.

Ce plan singulier allait-il réussir ? Les gentilshommes huguenots de La Renaudie furent « cueillis » par les soldats du duc de Guise, qui fit murer les portes par lesquelles les conjurés pensaient entrer.

Après l'échec des gentilshommes, l'autre troupe, celle des suppliants, des pauvres gens, s'avança vers le château. Le roi François II montra à la fenêtre du château sa face blafarde et leur jeta quelques pièces d'argent en les engageant à se replier.

Les conjurés pourtant avaient encore une chance de surprendre le château. Une bande armée marchait de Blois sur Amboise, commandée par La Roche-

Chandieu, mais elle arriva trop tard devant le château. Le soleil se levait, éclairant les armes qui étincelèrent. Dans le matin calme résonna le grand cri des sentinelles du château. Les canons d'Amboise se mirent à tonner, cependant que les assaillants tentaient d'enfoncer, sans succès, une porte du château.

Aussitôt les Guise contre-attaquèrent, les conjurés dispersés dans les bois furent arrêtés et exécutés. Ils moururent en héros. L'un d'eux, Villemongis, trempa ses mains dans le sang de ses compagnons et les éleva au ciel : « Seigneur, voici le sang de tes enfants ! »

Les têtes des suppliciés furent accrochées au balcon du château d'Amboise.

La vengeance ne tarda guère. Quelques mois plus tard le jeune François II mourait ; le chancelier de

Le balcon d'AMBOISE où furent suspendues les têtes des conjurés de 1560.

LES TUILERIES, après les remaniements de Louis XIV. Gravure ancienne.

France, Olivier, succombait lui aussi en criant : « Ha ! Ha ! Cardinal (1), tu nous fais tous damner ! »

Les guerres de Religion commençaient. Elles durèrent presque trente ans. On ne construisit guère alors. L'insécurité régna dans les campagnes, les châteaux forts servirent de nouveau.

Catherine de Médicis fit pourtant construire son château des Tuileries par Philibert Delorme. Elle résida aussi souvent à Chenonceaux. Elle y reçut François II et sa femme, Marie Stuart, en 1560. Après les horreurs d'Amboise, les jeunes mariés goûtèrent le printemps tourangeau, si bien que, devenue veuve, Marie Stuart préférait rester en France, en Touraine, plutôt que de régner sur les sauvages Ecossais.

En 1563, Catherine reçut aussi son fils Charles IX et organisa des fêtes en son honneur. Feu d'artifice, combat naval, mascarades se succédaient. Catherine

(1) Le cardinal de Lorraine, le frère du duc de Guise, chef du parti catholique avec lui.

fit admirer à ses hôtes sa volière pleine d'oiseaux chatoyants et rares.

Mais la plus belle des fêtes, ce fut celle que Catherine offrit à son dernier fils, le duc d'Anjou, en 1577.

Toutes les dames de la cour, à demi nues et les cheveux épars, furent employées à faire le service avec les filles d'honneur des deux reines (1), vêtues de damas de deux couleurs. Le festin fut servi à la porte du jardin, au bord d'une fontaine d'où jaillissait l'eau par divers tuyaux. Le roi Henri III trônait, frisé, pommadé, vêtu d'étoffes brillantes et fort décolleté.

Catherine de Médicis acheva Chenonceaux par une longue galerie supportée par le pont de Diane de Poitiers.

★

Les fêtes de Chenonceaux n'étaient plus qu'un lointain souvenir quand Henri III réunit à Blois les Etats Généraux. Chassé de Paris par les barricades élevées par les catholiques, fanatiques partisans de son ennemi le Balafré, le duc Henri de Guise (2), comme dernier recours il a réuni les Etats à Blois, dans la grande salle gothique qui subsiste encore.

Tout repose au château, dans cette nuit de décembre 1588. Pendant que le roi s'abandonne au sommeil, le duc de Guise est auprès de sa maîtresse, la belle Madame de Sauves, qu'il quitte à trois heures du matin. Cinq billets, coup sur coup, lui apprennent alors que le roi veut l'assassiner. Guise hausse les épaules : « Il n'oserait. Dormons et allez vous coucher ».

Au château, à quatre heures du matin, on heurte à la porte du roi qui s'éveille et s'habille en hâte. Il fait

(1) La reine-mère et Louise de Lorraine, femme de Henri III.
(2) Fils du duc François de la Conjuration d'Amboise.

monter un à un les hommes de sa garde, les fidèles Quarante-Cinq, qu'il enferme, éberlués, dans de petites cellules destinées à des capucins.

Cependant les membres du Conseil arrivent, lents et graves, dans le cabinet du roi. Henri III alors délivre ses prisonniers, les fait descendre dans sa chambre.

— Le duc doit périr, leur dit-il, je ne serai roi que par sa mort !

Tous promettent de tuer le Balafré; l'un deux, Suriac, grand Gascon dégingandé, frappe de sa main contre la poitrine du roi et dit en patois : « Cap de Jou, Sire, jou vous lous rendi mort ». (1)

Henri III calme leurs cris, il ne faut pas éveiller la reine-mère. « Voyons, dit-il, qui de vous a des poignards ? » Il s'en trouva huit, dont celui de Suriac, une fine lame d'Ecosse. Ceux-là sont désignés pour rester dans la chambre et tuer le duc. Douze de leurs compagnons sont placés dans un cabinet qui regarde la cour. Ceux-là étaient chargés de tuer Guise à coups d'épée, quand il lèverait la portière de velours pour entrer. C'est dans ce cabinet que le roi devait appeler Guise. Il place les autres à la montée par où l'on descend de ce cabinet à la galerie des Cerfs et commande à l'huissier de la chambre de ne laisser entrer ni sortir personne sans son ordre exprès.

A huit heures le duc de Guise fut éveillé par ses valets de chambre : « Monseigneur, le roi est prêt à partir ».

Le duc se lève, s'habille d'un habit de satin gris et part pour aller au Conseil, en fredonnant « Mignonne, allons voir si la rose... ».

Au bas du grand escalier à vis Guise s'étonna de voir les archers de la garde royale.

— Ces pauvres gens présentent au roi une pétition pour être payés de leur solde, Monseigneur, intervenez en leur faveur, lui dit le capitaine. Guise le promit et

(1) Par la tête de Jupiter, sire, je vous le rends mort.

monta. Derrière lui, en silence, les soi-disant solliciteurs occupèrent l'escalier et barrèrent le chemin.

Le duc, insouciant, entre au Conseil et dit, dès qu'il fut assis : « J'ai froid, le cœur me fait mal, que l'on fasse du feu ».

Dès que le roi sut que Guise était au Conseil, il manda M. de Reval, son secrétaire d'Etat : « Reval, allez dire à M. de Guise qu'il vienne me parler dans mon cabinet vieux ». Mais l'huissier du roi, respectueux de la consigne, refusa le passage au secrétaire d'Etat, qui s'en revint effrayé : « Mon Dieu ! dit le roi, Reval, qu'avez-vous ? Pourquoi êtes-vous si pâle ? Vous me gâterez tout ! Frottez vos joues, Reval ! » « Il n'y a point de mal, sire, c'est l'huissier qui n'a point voulu ouvrir avant que Sa Majesté ne lui commande ». Le roi ordonne alors de faire sortir Reval et d'introduire le duc.

On rapportait alors une affaire de gabelle au Conseil. Tous s'y ennuyaient passablement, le duc

BLOIS. Les galeries de l'aile François Ier, imitation des loggias à l'italienne.

mangeait des prunes de Brignoles, cependant que les conseillers s'assoupissaient.

— Monsieur, le roi vous demande, il est en son cabinet vieux, annonce Reval.

Guise nonchalant, met quelques prunes dans son drageoir et jette le reste sur le tapis. « Messieurs, qui en veut ? »

D'un geste cavalier il trousse son manteau sur le bras gauche. « Adieu ! Messieurs », dit-il en partant.

Le duc entre dans la chambre royale et salue les Quarante-Cinq qui s'y trouvaient. Ils lui rendent son salut et le suivent en feignant le respect.

A deux pas de la porte du vieux cabinet, le duc prend sa barbe de la main droite et se retourne pour voir ceux qui le suivaient (1). Aussitôt l'un deux, craignant qu'il n'échappe, le frappe d'un coup de poignard à la poitrine. « Ha ! traître ! tu en mourras ! » Aussitôt le sieur des Espanates se jette à ses jambes et le sieur de Malines lui porte un grand coup de poignard près de la gorge, dans la poitrine, et le sieur de Sognac un coup d'épée dans les reins.

A tous les coups le duc criait « Hé ! mes amis ! Hé ! mes amis ! » Au dernier coup il s'écria très haut : « Miséricorde ! » et il les traîna, tant il était fort, d'un bout de la chambre à l'autre, jusqu'aux pieds du lit où il tomba.

— Tout est fait, Sire, annonça au roi un des Quarante-cinq.

— Fouillez-le, commande le roi.

On trouva dans une petite bourse douze écus d'or et un billet de la main du duc : « Pour entretenir la guerre en France il faut sept cent mille livres tous les ans ».

Un des assassins prit au doigt de Guise un cœur en diamant. Le duc remua faiblement. On lui dit :

(1) On remarquera que l'assassinat ne se déroula pas suivant le plan prévu par le roi.

« Monsieur, cependant qu'il vous reste un peu de vie, demandez pardon à Dieu et au roi ! » Sans répondre, jetant un grand et profond soupir, Guise rendit l'âme, et fut couvert d'un manteau gris au-dessus duquel on plaça une croix de paille.

Pendant deux heures il fut ainsi exposé, puis Richelieu, grand prévôt de France, le père du Cardinal, fit brûler le corps dans une des salles basses du château et jeter les cendres à la rivière.

★

Henri III ne devait guère survivre à son ennemi.

Après ce meurtre, Paris s'était soulevé à nouveau contre lui et c'est en faisant le siège de sa capitale avec Henri de Bourbon, roi de Navarre, son héritier, qu'il fut poignardé par le moine Jacques Clément.

Henri de Bourbon devenait roi de France, et l'on conte que le soir de l'assassinat de Henri III, au château de Bourbon-l'Archambault les armoiries des ducs de Bourbon, frappées par la foudre, virent disparaître la barre qui chargeait l'écu (1).

(1) Pièce du blason qui charge le blason des cadets.

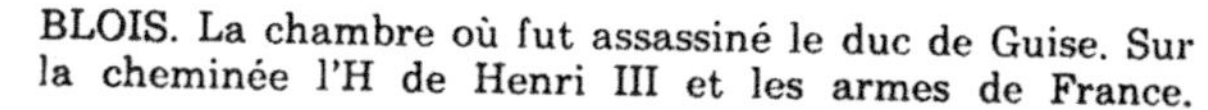
BLOIS. La chambre où fut assassiné le duc de Guise. Sur la cheminée l'H de Henri III et les armes de France.

LES CHATEAUX DU GRAND SIÈCLE

◀ LOUVRE. Milon de Crotone.

VIZILLE. Lesdiguière s'est fait représenter à cheval au-dessus du portail conduisant au château. ▶

Le règne de Henri IV marque le début de l'architecture classique. Désormais, hormis les fossés, disparaît tout vestige féodal. Le plan devient régulier : une aile centrale, prolongée par deux ailes terminées par un pavillon, le tout couronné par de hautes toitures d'ardoises. Robustesse et simplicité marquent le château du début du XVIIe siècle.

Henri IV fut un moins grand bâtisseur que François Ier. Il attacha pourtant son nom aux embellissements de Fontainebleau. Il est très fier de faire faire le tour du propriétaire aux ambassadeurs étrangers. Après la messe, il leur fait visiter le château, chambre après chambre, en nommant chaque peinture, en disant le prix. Pendant des heures, infatigable, le leste Béarnais fait marcher et tourner ainsi l'ambassadeur de Venise. Bon prince, il l'aide à sauter les pas difficiles et à grimper à l'échelle. Dans la chambre d'Hercule, Ambroise Dubois a peint en Diane la belle favorite, Gabrielle d'Estrée, qu'il fait admirer au diplomate.

A Fontainebleau Henri IV fut aussi le créateur du parc, où il fit creuser le grand canal, considéré comme une merveille. Il avait parié avec Bassompierre, un de ses courtisans, que ce canal serait plein d'eau en deux jours. Il perdit son pari car il en fallut huit.

★

Pendant la Ligue les gouverneurs de province étaient devenus de véritables potentats. Le duc d'Epernon, ancien ministre de Henri III et gouverneur de Guyenne, se fit bâtir à Cadillac un somptueux château. Henri IV préférait le voir s'intéresser au bâtiment plutôt qu'à l'intrigue.

Le vieux chef de bande huguenot, Lesdiguière, gouverneur du Dauphiné, édifia, grâce à de dures corvées, par Pierre La Cuisse et Guillaume Le Moyne, l'âpre château de Vizille.

A l'entrée, le maréchal se fit représenter à cheval, sur un bas-relief de bronze de Jacob Richier. Avec ses robustes chaînages de pierre et ses hautes toitures, Vizille représente bien le château rude encore de l'époque Henri-IV.

Maximilien de Béthune, duc de Sully et marquis de Rosny, le tout-puissant surintendant des Finances, a

VIZILLE. Œuvre de Lesdiguière.

fait construire, lui aussi, dans ce style, Rosny, le château de son marquisat.

En revanche, à Sully-sur-Loire, érigé en duché, il transforma seulement le vieux château des La Trémoille. Il en avait grand besoin car les La Trémoille, ruinés, n'entretenaient plus la demeure que Sully racheta à bon compte. Entouré d'eau de tous côtés, le château était une forteresse magnifique, mais en quel état ! Plus de planchers. Sully achète des sapins de France gigantesques ; il fait bâtir une grosse tour d'angle qu'il transforme en arsenal, et plante les jardins qui annoncent ceux de Versailles. Sully ne néglige rien. N'est-ce pas lui-même qui, un jour, dessine le plan de trois clapiers à lapins à Sully ?

A la mort de Henri IV, le surintendant, disgracié, décida d'opérer le « retour à la terre » prêché par

Olivier de Serres aux courtisans du Vert-Galant. C'est à Sully qu'il réside désormais ; c'est là que, vieillard chauve, à grande barbe blanche, il dicte à ses quatre secrétaires ses « Economies royales à la louange de Henri le Grand », mais surtout à la sienne.

A Sully l'étiquette règne encore. Le duc joue au premier ministre qu'il n'est plus. A midi la cloche sonne et tous les serviteurs doivent venir faire la cour au maître. Un suisse à hallebarde précède la foule des serviteurs. Sully apparaît, portant au cou la chaîne d'or à laquelle est suspendue une médaille représentant Henri IV, et il part vers le parc, cependant que les soldats et les gardiens de la Tour de l'artillerie font sonner leurs piques derrière le cortège.

★

Louis XIII était passionné de chasse. Il parcourait souvent la campagne au sud de Saint-Germain. Il séjournait souvent au val de Galie, très giboyeux. Après plusieurs nuits passées à l'auberge, chez les habitants, le roi prit goût au pays et fit bâtir un petit château, Versailles.

« J'ai fait construire Versailles, dit-il à son écuyer, M. de Saint-Simon, pour n'y plus coucher sur la paille, dans un méchant cabaret de roulier ou dans un moulin. »

Versailles était alors une bicoque. Le roi n'y avait que trois pièces. En 1630 il décida de le modifier, mais parcimonieusement. On réemploya les vieux matériaux. La façade fut reconstruite, on ajouta quatre pavillons. Louis XIII aimait de plus en plus Versailles.

« C'est pour moi un refuge où échapper au grand nombre de femmes qui entourent la reine, disait-il à son confesseur, et une retraite pour ne plus penser qu'aux affaires de mon âme et à mon salut. »

Entouré d'un fossé bastionné, le château, de briques et de pierres de taille, était bien dans le goût du temps.

— Sire, répondit Anne d'Autriche, avec son rauque accent espagnol, le scandale serait trop grand. M. Fouquet arrêté en pleine fête, vous n'y songez pas ! Il convient d'attendre.

Le roi reprit l'air simple et majestueux qu'il avait d'ordinaire et fit bonne figure en apparence au surintendant.

Quelques courtisans narquois remarquèrent que des couleuvres et des lézards semblaient menacer l'écu-

Au terme des nobles perspectives, **VAUX-LE-VICOMTE.**

VAUX-LE-VICOMTE. De larges fossés entourent encore le château du XVIIe siècle.

reuil, emblème de Fouquet, et que ces animaux étaient dans les armes de Colbert et du chancelier Le Tellier, deux ennemis du financier.

Après la visite, Fouquet organisa une loterie où chacun gagna des armes, des bijoux ; puis il y eut un souper servi par le grand cuisinier Vatel dans des plats d'or massif. « Le roi n'en a pas de semblables », chuchotait-on.

Après le souper, la troupe de Molière joua parmi la fraîcheur des bois ; la scène était éclairée par cent flambeaux. Un rocher se changea en coquille d'où sortit la nymphe Béjart, la femme de Molière. Après ce divertissement, on joua une comédie de Molière, « Les Fâcheux ».

Un feu d'artifice succéda. Mille fusées embrasèrent la nuit. Au moment où le roi revenait au château et allait regagner son vieux Fontainebleau, la lanterne du dôme de Vaux s'enflamma et des nuées de fusées et de serpenteaux jaillirent sur le dôme.

La fête de Vaux allait avoir un épisode tragique trois semaines plus tard.

Le surintendant est à Nantes avec le roi. Il vient d'avoir encore un entretien avec le souverain et sort du château, quand le sieur d'Artagnan, lieutenant aux Mousquetaires, fit un signe aux porteurs de sa chaise.

— La communication est-elle urgente ? demande Fouquet.

— On ne peut la remettre d'un instant, Monsieur, répond le mousquetaire. J'ai reçu l'ordre de me saisir de votre personne au nom du roi

Le surintendant faillit être condamné à mort. Il termina le reste de sa vie en prison.

Bien qu'il fût un fripon, il avait été généreux pour les poètes qui pleurèrent son infortune :

« Il est assez puni par son sort rigoureux
Et c'est être innocent que d'être malheureux ! »

★

Les débuts de Versailles, qui allait éclipser Vaux, furent pourtant très modestes.

Louis XIV avait un culte pour la mémoire de son père. On prétendit qu'il ne voulut jamais consentir à voir abattre le château de Louis XIII. En fait, c'est l'économe Colbert qui insista pour que le château primitif fût épargné.

Dès 1663, le parc est dessiné dans ses grandes lignes et le château est orné des « deux choses qui sont le plus agréables à Sa Majesté, des ouvrages de filigranes d'or et d'argent de la Chine et des jasmins ».

Colbert souffrait impatiemment les dépenses de Versailles ; il eût préféré que le roi achevât son palais du Louvre. « Ah ! quelle pitié, dit-il avec sa rude franchise, que le plus grand roi du monde soit mesuré à l'aune de Versailles ! »

Versailles coûtait cher et son budget égalait parfois celui de la Marine.

Ce fut Le Vau, l'architecte de Vaux-le-Vicomte, que Louis XIV appela pour réaliser le premier Versailles. Le château de Louis XIII fut conservé mais embelli par des balcons dorés, des mansardes de pierre sculptée ; des ornements de cuivre doré étincelèrent sur les cheminées et les combles.

C'est dans ce château «où tout rit dehors et dedans» que Louis XIV donne ses fêtes le plus brillantes en 1664 pour éblouir Mademoiselle de La Vallière, jolie fille un peu boiteuse dont le roi pourtant raffole.

Bientôt le château devient trop étroit pour la foule de courtisans qui s'y pressent.

Versailles doit être agrandi, un nouveau château va naître, toujours sur les plans de Le Vau, aidé par d'Orbay. Le roi est impatient de voir achever l'œuvre.

« Faites qu'on ne se relâche point et parlez toujours aux ouvriers de mon retour », dit-il à Colbert. — « Faut-il, Sire, vous donner de longs comptes rendus ? Ne dois-je pas être plus bref ? » répond le ministre. — « Longs, ordonne le roi. Le détail de tout. »

La façade de Le Vau sur le jardin rappelle le Versailles actuel en plus terne ; au centre la galerie

VERSAILLES en 1682, l'entrée. Sauf quelques détails, le château n'a guère changé depuis de ce côté.

des Glaces n'existe pas, à sa place s'ouvre une terrasse. Avec ses colonnades, ses terrasses en balustre, c'est le style Louis-XIV qui fait son apparition en fanfare.

Certains courtisans critiquent narquoisement : « On croit voir un palais qui a été brûlé, où le dernier étage manque encore ».

L'intérieur des appartements était d'une richesse inouïe. Tous étaient ornés de marbres de couleur, de bronze fondu et ciselé. Le peintre de Vaux, Le Brun, était l'ordonnateur de ces appartements. Il dessinait tout, jusqu'aux fermetures des fenêtres.

Ces grands appartements sont le cadre de la vie du roi. Chaque pièce a pour thème une des planètes qui gravitent autour du soleil. Depuis sept heures du soir jusqu'à dix heures, l'heure à laquelle le roi se mettait à table, toute la cour était présente.

La salle du trône, ou salle d'Apollon, le dieu du Soleil, l'astre du roi, était la plus belle de toutes, tendue pendant l'hiver de draperies d'or et d'argent, et, pendant l'été, de velours cramoisi où figuraient des Termes brodés d'argent. Le mobilier était d'argent massif. Au fond, sur une estrade couverte d'un tapis de Perse à fond d'or, s'élevait le trône d'argent au siège soutenu par quatre enfants, porteurs de corbeilles fleuries ; une Victoire ailée planait au-dessus du trône, accompagnée des images de la Force et de la Justice.

Le roi n'avait pas encore installé définitivement à Versailles le siège du gouvernement. Ce ne fut qu'en 1682 qu'il s'y décida.

Le château était encore un immense chantier où s'affairaient les ouvriers. Jules Hardouin Mansart a remplacé Le Vau et d'Orbay à la tête des architectes. Il modifie les ouvertures, perce des cintres aux fenêtres, allège le château de Le Vau et l'étire par deux immenses ailes en retrait. Il supprime la terrasse du premier étage de l'aile centrale et la remplace par la galerie des Glaces décorée par Le Brun, et inspirée par la galerie du Palais Colonna, à Rome.

Les peintures de la galerie montrent l'apothéose du roi conduit dans un char par Minerve, accompagné par la Gloire et suivi par Mars et la Victoire. Devant lui marchent la Terreur et la Renommée.

Malgré ses pilastres de marbre et son faste, la galerie des Glaces avait été construite avec une certaine parcimonie. C'est ainsi que les trophées dorés qui décorent les trumeaux furent d'abord de plomb doré avant d'être fondus en bronze en 1702.

Madame de Sévigné admire fort la nouvelle galerie. « Je reviens de Versailles. J'ai vu ces beaux appartements, j'en suis charmée, c'est un enchantement ! »

Les contemporains s'émerveillent aussi des glaces qui font de fausses fenêtres vis-à-vis des véritables et multiplient à l'infini « cette galerie qui paraît n'avoir point de fin ».

Le 15 novembre 1684, Louis XIV inaugure la galerie des Glaces. Quelques jours avant, Louvois, qui a remplacé Colbert, mort depuis peu, à la tête des Bâtiments, écrit au roi : « Le parquet de la galerie est achevé ; il ne reste plus qu'une des croisées feintes à couvrir de

VERSAILLES. La galerie des Glaces. Au plafond, les « Victoires du roi », par Lebrun.

◀ VERSAILLES. Les deux pavillons qui terminent les deux ailes ont été remaniés sous Louis XVI, par Gabriel.

glaces ». Louis XIV annote en marge : « Je serai très aise de trouver la galerie achevée ».

Lorsqu'il arrive avec toute la Cour, il aperçoit les deux immenses tapis de la Savonnerie, les meubles d'argent et de vermeil massifs, et tous les yeux se lèvent vers la voûte où partout brillent les emblèmes à la gloire du roi, le soleil et le coq qui salue son lever.

Plus tard le mobilier de vermeil disparaîtra, sacrifié aux nécessités de la guerre.

★

Mais plus encore que les bâtiments, ce qui constitue l'originalité de Versailles, ce sont les jardins.

Trois architectes furent nécessaires pour bâtir le château ; il ne fallut qu'un seul jardinier, Le Nôtre, pour tracer le plan majestueux du parc. Avec lui c'est tout un art nouveau du jardin qui triomphe.

Jusqu'à Le Nôtre, le jardin n'avait aucune échappée. Composé de quadrillages, de berceaux, orné

VERSAILLES. Les jardins de Le Nôtre et la pièce d'eau des Suisses.

depuis la Renaissance de détails amusants, grottes, jouets hydrauliques, arbres taillés de façon singulière, il n'est pas lié au paysage. Le Nôtre, au contraire, ouvre de larges échappées ; le jardin s'unit aux forêts d'alentour par des transitions insensibles.

Le Nôtre, qui était aussi simple que génial, conserva toujours la faveur du roi. Il voulait avant tout montrer qu'il était jardinier. Quand le roi voulut l'anoblir en 1675, et lui demanda quelles seraient ses armoiries, il lui répondit avec la bonhomie familière qui le caractérisait : « Trois limaçons couronnés d'un chou ! »

Comme à Vaux, Le Nôtre a multiplié les eaux vives, les grands bassins. Le bassin de Latone évoque la déesse mère d'Apollon, le dieu du soleil, et le grand bassin qui clôt le tapis vert, orné du char d'Apollon, œuvre de Tuby, rappelle encore le thème solaire, cher au roi. Ce char d'Apollon sortant des flots excita d'ailleurs la moquerie et certains n'y virent qu'un char embourbé.

Mais tous ces bassins aux eaux jaillissantes demandaient beaucoup d'eau. Louis XIV voulait faire oublier les « Nymphes » ou plutôt les « Naïades » de Vaux de son ex-surintendant Fouquet. Par malheur, le sol de Versailles était désespérément sec. Que faire ?

On construisit, pour y remédier, la grande machine de Marly qui puise l'eau de la Seine avec quatorze roues à palettes. Un système compliqué de manivelles et de chaînes de renvoi fait mouvoir trois étages de corps de pompes ; ainsi les eaux sont élevées sur une tour de cent cinquante-quatre mètres et reçues dans un aqueduc à arcades qui les distribue à Marly et à Versailles. Cette solennelle machine, œuvre du Liégeois Rennequin Sualem, faisait un énorme tintamarre à toute heure du jour et de la nuit, ce qui impressionnait fort l'imagination du bon peuple.

Un moyen moins spectaculaire, mais plus efficace, consistait à recueillir l'eau des plateaux au-dessus de

Versailles ; c'est celui qui sert encore, alors que la « machine » n'est plus qu'une simple curiosité.

Ce ne fut guère qu'après l'installation définitive du roi à Versailles que l'on se soucia d'orner de marbres les jardins. C'est pour le parc que le grand sculpteur Puget sculpte son grand Milon de Crotone. Puget était considéré comme un artiste de province, attaché aux arsenaux de la Méditerranée, et ses collègues parisiens se souciaient peu d'introduire parmi eux ce décorateur de galères.

Les courtisans ricanaient quand on ouvrit dans les jardins de Versailles la caisse qui contenait le Milon de Crotone, mais lorsque la reine Marie-Thérèse vit la souffrance du grand athlète vaincu dévoré par un lion, elle en fut si bouleversée qu'elle s'écria : « Le pauvre homme ! » C'était une belle victoire pour Puget.

Mais ses ennemis ne désarmaient pas. Ils s'arrangèrent pour placer la statue dans un endroit détourné

VERSAILLES. Le Grand Trianon. ▶

◀ VERSAILLES. Le Grand Trianon. La colonnade.

du petit parc. C'était compter sans le goût de Louis XIV qui la fit installer face à l'allée royale, au plus bel endroit du jardin.

En pendant au Milon, Louvois demanda à Puget une autre statue, « Persée délivrant Andromède », en 1685.

C'est l'année où Puget vint voir le roi à Versailles. Mais le pauvre grand sculpteur, gauche et emprunté, n'était guère courtisan. Il voulut saluer Le Nôtre dans son appartement de Versailles. Ayant appris que Le Nôtre était à Trianon avec le roi, il s'y rend, mais on lui refuse l'entrée de la grille : « Sa Majesté avait donné l'ordre de ne laisser entrer personne ». Le Nôtre arrive, fait entrer Puget et l'amène dans un salon de Trianon où le roi joue au billard. Puget s'avance vers le roi, en faisant une profonde révérence. Louis XIV daigna lui tirer son chapeau. Une telle marque de faveur éblouit le grand sculpteur.

MARLY. Au centre, le château du roi. Gravure ancienne. Plus rien ne subsiste de Marly.

Une cour nombreuse réside à Versailles autour du roi. Les gouverneurs de province abandonnent les grands châteaux de leur gouvernement pour loger parfois dans des appartements minuscules de Versailles.

Une grande partie de la noblesse est ainsi attirée auprès du roi, dont la vie est réglée par une rigoureuse étiquette.

Il arrive pourtant que Louis XIV se lasse de cette vie cérémonieuse. C'est pourquoi il a fait construire le petit château de Trianon, puis Marly.

Le premier Trianon était une charmante folie « de porcelaine », disait-on ; en fait revêtue de carreaux de faïence. L'intérieur était décoré à la manière des ouvrages qui viennent de la Chine. Dans ce cadre exotique le roi donnait des collations aux dames de sa cour. La reine Marie-Thérèse et la Montespan viennent s'y promener et danser.

Mais les faïences se détérioraient vite ; c'est pourquoi le roi, en 1687, décida de faire reconstruire le petit château par Mansart, en remplaçant la faïence par le marbre. Pilastres de marbre rose de Languedoc, colonnades de marbre vert ou rose composent un décor de fête. Un an à peine fut nécessaire pour achever les travaux.

Louis XIV affectionna beaucoup Trianon. « Versailles a été fait pour la Cour, dit-il, Marly pour mes amis, et Trianon pour moi-même. »

Marly témoignait aussi de ce désir de détente de Louis XIV ; « lassé du beau et de la foule », dit Saint-Simon, « le roi se persuada qu'il voulait du petit et de la solitude ». A Marly Louis XIV voulut jouer à l'ermite.

Lors d'un séjour à Saint-Germain, le roi, fatigué de la pompe qui l'entourait, décida de bâtir un petit château à Marly, près de Versailles et de Saint-Germain. Il y avait des bois, de l'eau et de la vue. Aussitôt dit, aussitôt fait.

Le plan de Marly, dû à Mansart, était très curieux. Un grand pavillon central est réservé au roi, c'est le pavillon du Soleil ; autour de lui, douze pavillons figurent les planètes ou les allégories qui faisaient cortège au Roi-Soleil. Les façades étaient peintes à fresques. Celle du grand pavillon représentait le char du Soleil.

Devant le pavillon royal s'étendait un grand miroir d'eau où glissaient des gondoles tendues de brocart et de damas. Les costumes chatoyants des invités ajoutaient à cet éclat.

Madame de Maintenon, la seconde et dévote épouse du Roi-Soleil, remarquait, satisfaite : « Tous nos cardinaux parent fort la Cour, leur couleur de feu sied parfaitement dans le vert de Marly ».

C'était un grand honneur que d'être invité à Marly. Seuls les courtisans bien en cour y avaient accès.

LES CHATEAUX DU XVIIIe SIÈCLE

Château de BUSSY-RABUTIN. Son maître se consola de sa disgrâce en évoquant ses amours d'antan.

▲ CHAMPS. Le château.

On construit peu de châteaux sous le règne de Louis XIV. Désormais la noblesse de cour préférait vivre à Versailles pour y trouver places et argent. Il fallait être un disgracié, comme ce mauvais sujet de Bussy-Rabutin, pour vivre dans son château bourguignon où, pour consoler sa disgrâce, il fit placer dans un salon les portraits de toutes les belles dames qui l'avaient aimé. Il y en avait beaucoup, mais Bussy se vantait.

Au XVIIIe siècle on construit encore quelques châteaux, mais ils ne conservent plus aucun des caractères du grand siècle.

Un bâtiment rectangulaire, à un ou deux étages, le dernier étage moins élevé, l'attique ; au centre, un péristyle surmonté d'un fronton, tel est le type du château contemporain de Louis XV. Parfois deux pavillons, très peu saillants, flanquent le corps central.

Si les grands chefs militaires, comme Maurice de Saxe, se contentent de châteaux historiques, mais démodés, comme Chambord, où il mourra, en revanche financiers et favorites royales préfèrent le neuf. C'est ainsi que le financier Paul Poisson, dit Bourvalais, laquais devenu financier, construisit le château de Champs, dont le salon chinois fut peint sous la Régence. Ensuite Champs eut une locataire illustre, la Marquise de Pompadour.

A Ménars, au contraire, la favorite du Bien-Aimé était propriétaire, voire même seigneur, car Ménars était un marquisat. Devenue ainsi doublement marquise, Madame de Pompadour fit reconstruire le château en y dépensant des sommes énormes ; tous les trois mois elle s'y rendait. La toute-puissante marquise

Le château de MENARS.

obtint même que l'on construisît une route spéciale, par Beaugency et Mer, pour relier plus commodément Versailles à son fief.

Voyant passer la marquise en carrosse, se dirigeant vers Ménars sur le pont d'Orléans qui venait d'être refait, un homme du peuple aurait dit : « Le pont est d'une solidité à toute épreuve car il vient de supporter le plus lourd fardeau de la France ».

Quant à Pompadour, son fief limousin aux tourelles à mâchicoulis, la belle marquise n'y mit jamais les pieds.

★

A Versailles Louis XV construisit peu ; il se contenta d'aménager les petits appartements, pièces plus intimes, à plafond bas, où il pouvait se reposer des rigueurs de l'étiquette et faire du chocolat avec ses filles qu'il aimait beaucoup.

Il se plaît aussi à Trianon, où il a un jardin potager rempli de fraises. Ce goût pour les fraises, joint à celui de Madame de Pompadour, l'amena à construire le Petit Trianon.

Il demande un plan à son architecte Gabriel, et lentement, de 1763 à 1764, le petit château s'élève. Gabriel s'est inspiré librement de l'art antique avec le portique corinthien de la façade. Le Petit Trianon, chef-d'œuvre de simplicité harmonieuse, sera souvent imité.

Madame de Pompadour, d'ailleurs, ne le verra jamais achevé. Quand Gabriel en remettra les clefs à Louis XV, en 1768, c'est Madame du Barry qui est la nouvelle favorite.

Le Bien-Aimé trouve très commode son nouveau pavillon. Il y donne des soupers fins, sans domestiques gênants, grâce à des tables mécaniques qui sortent du parquet avec un repas tout préparé. Une table centrale était entourée par quatre petites, les « servantes ». Trianon, plus qu'un château, est une « folie ».

VERSAILLES. La chambre de la reine. Dans l'angle du plafond, l'aigle d'Autriche. Les riches tentures de soierie de Lyon ont été reconstituées récemment sur les dessins originaux. ▶

VERSAILLES. Le temple de l'amour à Trianon. « L'Amour taillant son arc », de Bouchardon.

VERSAILLES. Le petit Trianon et ses jardins. ▶

Louis XV y invite souvent la Du Barry, tout en continuant à s'occuper de son fameux potager. C'est ainsi qu'il lance la reine-marguerite, apportée de Chine par des missionnaires.

C'est au Petit Trianon que Louis XV contracta la variole dont il devait mourir. Le château avait mauvaise réputation et on allait jaser de voir le roi malade dans « ces petites chambres basses de Trianon ». Louis XV voulait y rester, toutefois, car il se sentait mal ; mais son médecin, La Martinière, ne l'entendit pas de cette oreille. « C'est à Versailles, sire, qu'il faut être malade ». On força le roi à monter en voiture, sur le soir, en robe de chambre, son manteau par-dessus.

A la mort de Louis XV, son petit-fils, Louis XVI, donna le Petit Trianon à sa femme Marie-Antoinette. « Ces beaux lieux ont toujours été le séjour des favorites du roi, ils doivent donc être les vôtres. » C'est ainsi qu'il aurait galamment offert à la reine ce don princier. Mais il est douteux que le balourd Louis XVI ait filé si adroitement le madrigal.

Marie-Antoinette fit refaire les jardins de Trianon dans le goût anglais. L'art de Le Nôtre paraissait alors ennuyeux. Sous l'influence de Rousseau et de l'Angleterre, on voulait des jardins imitant la nature. Ce fut un officier, le comte de Caraman, plus occupé d'horticulture que de stratégie, qui dessina le plan des jardins nouveaux. Ils furent ornés d'un belvédère et d'un

VERSAILLES. Le hameau de Marie-Antoinette; au centre la maison de la reine.

temple de l'Amour, la divinité du siècle, suivant le conseil d'un courtisan de la reine, le prince de Ligne : « Les temples doivent inspirer la volupté ». Au centre du temple rond on put admirer l'Amour taillant son arc, de Bouchardon.

A Trianon Marie-Antoinette est chez elle. Les règlements des jardins portent : « Par ordre de la reine ». Les domestiques ont une livrée à ses couleurs, rouge et argent. Souvent on fait collation avec les fraises et le lait qui viennent de l'Ermitage de la Pompadour.

Parfois la reine donne des fêtes plus brillantes. En 1777 on inaugure le Temple de l'Amour. Des musiciens, des gardes-françaises jouaient en costumes chinois. Le soir dix-huit cents lanternes vénitiennes illuminèrent le jardin. Le contrôleur des Finances, le sévère M. Necker, dut payer la note : quatre cent mille livres. N'importe, la fête avait été fort réussie.

Trianon possède aussi un théâtre où la reine joue dans le « Devin du Village », de Rousseau, un rôle de jeune paysanne.

Le goût de la vie rustique est très fréquent à la fin du XVIIIe siècle. C'est pour le satisfaire que Marie-Antoinette fait édifier à Trianon son fameux hameau.

Dans la laiterie modèle, où la crème est préparée sur des tables de marbre blanc, la reine et ses amies battent elles-mêmes le lait dans des barattes de porcelaine au chiffre royal. A la ferme les poules piaillent sur la pelouse, dans un enclos couvert de filets.

★

Cependant Gabriel, l'architecte du roi, projetait de détruire le Versailles de Louis XIV, tout au moins celui de la cour de marbre. Une aile fut même commencée, mais la Révolution sauva le château du Roi-Soleil. En octobre 1789, le peuple de Paris arrachait à Versailles « le boulanger, la boulangère et le petit mitron ».

LES CHATEAUX DU XIXe SIÈCLE A NOS JOURS

COMPIEGNE. La façade de Gabriel et les N du second empire.

Le château étant le signe extérieur le plus visible de la féodalité, la Révolution lui fut hostile. Au moment de la Grande Peur, de nombreux paysans brûlèrent les châteaux de leurs seigneurs : « Guerre aux châteaux, paix aux chaumières ! »

Ils en voulaient particulièrement aux toits aigus des tours. Beaucoup de ces poivrières orgueilleuses furent rasées.

Il fallut attendre le Consulat et le retour à la vie mondaine pour voir renaître la vie de château.

LA MALMAISON. Maison de campagne du Premier Consul.

Bonaparte, premier consul, avant de résider aux Tuileries, acquit le petit château de la Malmaison, très modeste bâtiment. Il y reçoit ses généraux et leurs femmes. Il se plaît à agacer l'une d'elles, la belle Madame Junot, qu'il réveille le matin en lui pinçant les pieds, en l'absence du brave général Junot, bien entendu. Il aime aussi à taquiner les belles visiteuses de Joséphine en lançant sur leurs robes de mousseline une biche apprivoisée rendue folle par une prise de tabac, car le Premier consul est hostile à la mousseline, importée d'Angleterre.

Devenu empereur, Napoléon résidera souvent au château de Compiègne, construit pour Louis XV par Gabriel. Il aimera aussi Fontainebleau pour ses grands souvenirs. Il l'appelle la « maison des siècles ». C'est à Fontainebleau qu'il vivra des heures dramatiques, en 1814.

Après la reddition de Paris, la trahison de Marmont et la défection des maréchaux, il comprend que la partie est perdue. Le 12 avril il abdique en son nom et en celui du roi de Rome.

Le 20 avril il quitte Fontainebleau. A midi les lourdes berlines de voyage se rangent dans la cour du Cheval-Blanc. La garde impériale, sous les armes, forme la haie. A une heure, Napoléon sort de ses appartements, tend la main à chacun, descend l'escalier de son pas rapide et s'avance vers la garde.

« Généraux, officiers, sous-officiers et soldats de ma vieille garde, je vous fais mes adieux : depuis vingt ans je suis content de vous, je vous ai toujours trouvés sur le chemin de la gloire... »

Après avoir serré dans ses bras le général Petit, qui portait le drapeau de la vieille garde, il baisa l'aigle : « Chère aigle ! que ces baisers retentissent dans le cœur de tous les braves ! Adieu, mes enfants ! Conservez mon souvenir ! » Les soldats pleuraient.

A ces mots l'Empereur monta en voiture pour l'exil.

La Restauration construisit peu de châteaux nouveaux. On offrit le château de Chambord, par souscription nationale, au duc de Bordeaux, le petit-fils de Charles X, héritier présomptif de la couronne. Il en résulta de fortes protestations des libéraux et des bonapartistes, et le titre de comte de Chambord donné à l'enfant qui devait mourir en exil, éternel prétendant au trône de France sous deux règnes et deux républiques.

Tout usurpateur qu'il fût et fils de régicide, Louis-Philippe eut à cœur de restaurer les grands châteaux de ses ancêtres. Héritier de Louis XIV et de François Ier, il fit de Versailles un musée « à toutes les gloires de la France », et, à Fontainebleau, les fresques de la Renaissance furent restaurées, plus ou moins bien, sur son ordre.

Mais il se plaît surtout au château d'Eu, jadis demeure des Guise. C'est là qu'il reçoit en septembre 1843 la jeune et belle reine d'Angleterre, Victoria.

La reine arriva en yacht au Tréport, par une belle journée d'automne. Guidés par Louis-Philippe, la reine Victoria, en robe de soie brune, et son mari, le prince consort Albert, en frac, arrivèrent au château dont toutes les vitres étincelaient au soleil couchant. Quatre jours se passèrent en fêtes. Chaque soir des musiques militaires jouaient des sérénades sous les fenêtres de Victoria. Les journalistes admirèrent le collier et les boucles d'oreille de diamant de la reine d'Angleterre, vêtue d'une robe de mousseline semée de fleurs et brochée d'or. Auprès des princes, fils de Louis-Philippe, en grand uniforme de général, on remarquait, en frac noir, un long et sec personnage, Guizot, le ministre des Affaires étrangères. C'est lui qui avait voulu l'entrevue Louis-Philippe-Victoria, acte de naissance de la première Entente cordiale.

Vatout, le bibliothécaire du château, commensal de Louis-Philippe, auteur d'une saynète, « Le Maire

d'Eu », et d'une histoire plus protocolaire du château d'Eu, offrit ce dernier ouvrage à Victoria. « C'est un château bien riche en souvenirs et une bien intéressante histoire ! », lui dit Victoria. — « Votre Majesté, répondit Vatout, vient d'y ajouter sa plus belle page ! » L'habile courtisan, par cette repartie, gagna une bague en diamant.

★

Sous Napoléon III, la Cour séjourne à Fontainebleau, comme sous le premier empire. On dîne dans la galerie Henri II, dans le tintamarre d'une musique militaire, puis l'on danse pendant deux heures au son d'un orgue de Barbarie, manœuvré par le grand maître des cérémonies, Baciocchi, le propre cousin de l'empereur.

A l'ambassadeur d'Autriche qui lui demande pourquoi il ne veut pas admettre de musiciens, Napoléon III répond : « Ils racontent ce qu'ils ont vu ou ce qu'ils n'ont pas vu. Je préfère la gymnastique de Baciocchi ».

Napoléon III et l'impératrice Eugénie reçoivent aussi les intimes à Compiègne, avec un cérémonial réglé. A l'entrée du château, une haie de laquais, à chaque porte deux «Cent-Gardes». Pour se distraire on représente des charades costumées, on fait tourner les tables. Parfois on va se promener en char-à-bancs vers le vieux château de Pierrefonds, alors en ruines. Ce furent ces promenades qui incitèrent Napoléon III à faire restaurer Pierrefonds par Viollet-le-Duc.

RAMBOUILLET. Ce château, modestement bourgeois, convint bien à la bonhomie des présidents de la IIIe République.

CHATEAU DE PIERREFONDS. Reconstitué par Viollet-le-Duc, ce grand joujou de pierre amusa Napoléon III.

La IIIe République logea ses présidents dans des châteaux fort modestes.

Bien que Grévy ou Sadi Carnot n'aient rien eu du Roi-Soleil, on se méfiait des ambitions présidentielles. Rambouillet, par sa modestie, convint bien à la bonhomie ventripotente et barbichue d'un Fallières.

En Alsace, alors annexée à l'Allemagne, Guillaume II voulut rivaliser avec le Pierrefonds de Napoléon en faisant restaurer, sinon reconstruire, le château du Haut Koenigsbourg, qui domine l'immense plaine d'Alsace et la vallée du Rhin. Il fit faire, pendant la guerre de 1914, une inscription pour la cheminée de sa salle à manger au château : « Je n'ai pas voulu cela ». Allusion à la guerre dont il était pourtant un des responsables.

★

Le XIXe siècle marque la fin d'une architecture originale des châteaux. On en élève pourtant alors beaucoup. D'abord dans le style troubadour, sous la Restauration et Louis-Philippe, puis en style Louis XII ou Renaissance, voire Louis XIII ou classique. C'est l'époque où toute demeure un peu cossue s'adjoint quelques tourelles, où tout bourgeois enrichi joue au châtelain.

Le XXe siècle a vu la disparition de ces pastiches, au demeurant fort coûteux. Comme l'artillerie avait tué les châteaux du Moyen âge, le fisc a tué les constructions prétentieuses du XIXe siècle, transformées de nos jours en maisons de retraite ou en colonies de vacances.

CHATEAU DU HAUT KOENIGSBOURG. Le Pierrefonds de Guillaume II. Le donjon reconstruit alors, était-il primitivement rond ou carré ? Les savants germaniques en discutèrent longuement.

TABLE DES MATIERES

ORIGINE DES PHOTOGRAPHIES

AERO-PHOTO : 93; AIR-PHOTO : 4; ARCHIVES NATHAN : 8 - 17 - 23 - 41 - 99 - 109; ARCHIVES PHOTOGRAPHIQUES : 63 (1) - 71 (2) - 124; BULLOZ : 37 - 51 - 118; J. CORSON/RAPHO : 77; GIRAUDON : 2 - 7 - 24 - 39 - 50 - 54 - 84 - 89 - 103 - 105 (2) - 112 (2) - 134 - 142; GOLDNER : 12; HURAULT : 59; René JACQUES : 11 - 21 - 28 (2) - 36 (2) - 42 - 49 - 52 - 67 - 71 (1) - 85 - 90 - 91 (1, 2) - 94 - 104 - 105 (1) - 106 - 107 - 112 (1) - 115 - 131 - 132 - 137 - 138 - 140 - 141 - 148 - (1) - 150 - 153; KARQUEL : 33, 68 (1) - 74 - 75 - 81 - 111 - 121 - 145; Noël LE BOYER : 63 (2); Armand MEHEUX : 61 - 72 - 80 - 114 - 156; NEURDEN/GIRAUDON : 6 - 27 - 28 (1) - 36 (1) - 45 - 46 - 53 - 56 - 76 - 83 - 88 - 100 - 123 - 125 - 127 - 148 (2) - 149 - 157; Janine NIEPCE : 58 - 129 - 136 - 144 - 146; PHILIPS : 152; Roger PUECH : 117; RAY-DELVERT : 101; RESSEGUIE : 76; J. ROUBIER/RAPHO : 18; Lucien VIGUIER : 63 (2) - 97; YAN : 9 - 15 - 30 - 31 - 159; YVON : 57.

COUVERTURE : CHATEAU D'AZAY-LE-RIDEAU.
Photo HELIO-CACHAN.

DOS DE COUVERTURE : Angle CHATEAU DE CHAUMONT.
Photo ELPE-PRODUCTION.

4e PLAT DE COUVERTURE : CHATEAU DE CHAUMONT, vue générale.
Photo HELIO-CACHAN.

DANS LA MEME COLLECTION

CATHEDRALES DE FRANCE
PARIS ● VERSAILLES ● LA PROVENCE
ABBAYES ET PELERINAGES DE FRANCE
ATHENES ● L'EGYPTE
ROME ● FLORENCE ● VENISE
L'ESPAGNE ● LE MEXIQUE
LA YOUGOSLAVIE ● LA SUISSE
LE JAPON

Imprimé en Belgique.
No d'Editeur M 8461